平成大家族

中島京子

集英社文庫

目次

平成大家族

トロッポ・タルディ

緋田《ひだ》家の当主、龍太郎《りゅうたろう》は今朝、食後の薬を飲み終えて庭に視線を投げた。南向きの窓から射し込む陽光はリビングを暖め、一日のもっとも平和な時間を心地よく演出しようとしていた。

庭には小鳥たちが集まってきた。益子焼《ましこやき》の花器に水を入れて置いてやったからだ。朝食のトーストからこぼれおちたパンくずを毎朝撒《ま》くのも彼の仕事だった。大学の後輩と共同で経営していた歯科クリニックを、二年前に「勝手に定年退職」した彼はいま七十二歳で、ほとんど趣味の域に入っている「義歯の製作」を請け負う以外には、悠々自適の隠居生活を送っている。

その彼にとって、こののどかな朝の時間ほど好ましいものはない。はずだった。が。

庭先を長男の克郎《かつろう》が横切ると、龍太郎の長い睫《まつ》毛《げ》の内側の目が一瞬にして険を帯びた。克郎は庭に設置した物置から出てきて、母屋《おもや》の玄関に回り、トイレを使おうという魂胆らしかった。

龍太郎は胸に楔《くさび》を打ちこまれたように感じた。ここ十年というもの、まともに顔を見たことなどなく、できうる限り「この世に存在しない」と思うことにしていた長男を、こうして、自分の偏愛する朝の静かな儀式のような瞬間に、これまた新たな負の儀式として毎朝見ることになろうとは思わなかった。克郎はいつも緋田夫妻の朝食直後に、決まって小用に立つのであった。

不愉快になった龍太郎は庭から憤然と室内に目を転じたが、リビングと廊下を挟んですぐ向かいに位置する玄関脇から、神経を逆撫《さかな》でする水音が聞こえ、ますます彼を不快にした。

ほんとうのことを言えば、十年間あの男を「見ないふり」していたことのほうがずっと問題だったのだが、ただいま現在の龍太郎は、克郎が二階奥の納戸《なんど》から出て庭の物置に居場所を移したことが、朝の平安を奪ったように感じていた。長男が物置に入って行くのを見届けて、彼は深い溜《た》め息《いき》をつき、

「トロッポ・タルディだな」

と、つぶやいた。この元歯医者はときどき、妙なイタリア語やフランス語を会話に混ぜることがあるのだが、その意味もセンスもほとんど人に理解されることがない。

ちなみに「トロッポ・タルディ」は彼の口癖の一つで、英語だと「too late」という意味のイタリア語だそうだ。

「なんぼなんでも、それは困るわ、お父さん」

いったい何を聞きとがめたか、お茶を持ってリビングに入ってきた妻の春子《はるこ》が責めるように続ける。

「お父さんがいらないって言うから、もう全部、逸子《いっこ》の家にあげちゃいましたよ。私、何度も聞いたわよ、食べますかって。いまさら、あるかいだなんて、やんなっちゃうわね」

「何がないんだって?」

「昨日のコロッケですよ」

目を吊り上げて妻は台所に引き上げていった。六歳年下の春子も、このごろではかなり耳が遠くなっている。

龍太郎、春子、透明人間のような長男の克郎。今になって振り返れば、この三人のみが一家の構成要素だったころ、家族の主たる悩みの種は、定職にもつかず一日中家にこもったまま三十を迎えたこの長男だけだった。あの大馬鹿者の根性を矯《た》め直しておくという、父親としての義務を怠ったのがなんとも悔やまれる。家から叩き出しておくべきだったのだ。

こう、次から次へと、出したものが帰ってくる前に。

長女の逸子一家が、同居したいと言ってきたのは昨年の暮れだった。

逸子の夫の柳井聡介《やないそうすけ》が事業に失敗して多額の負債を抱え、会社は倒産、自身は自己破産に追い込まれ、都心のマンションも車も一切合財《いっさいがっさい》、手放したというのだ。

これを聞かされたときはさすがに、苦い思いが龍太郎の胃の底を這《は》った。彼は何度か、長女夫婦の窮状を見かねて金銭的支援を行っていたのだった。

逸子。かつては父親の寵愛《ちょうあい》を一身に受けていた愛娘《まなむすめ》。年頃になったら、しかるべき歯科医師の妻となり、クリニックを継いでくれるものと思っていたこの長女が、どこぞの証券会社のサラリーマンといっしょになると言ってきたときすでに、嫌な予感がしたものだった。

夫の会社は先が危ないから独立してアイティ関連の会社を作ることになったと聞かされたときも、なんだか虫が知らせるような感覚が働いた。だいいち「アイティ」がなんなのか、龍太郎にはまったくわからなかった。それから何回か、逸子に泣きつかれて金を送った。もちろん妻の春子には内緒で。

最初から最後まで、娘婿がなんの商売に手を出したのだか理解することはなかった。それでも一つの受け入れがたい事実だけは残り、厳然と彼を打ちのめすことになったのだった。ようするに、娘婿の会社は潰れ、貸した金は返らない。

逸子は聡介と息子のさとるを伴って緋田家を訪れた。

申し訳ありませんと肩を落としたきり、何も言わなくなった娘婿を気遣《きづか》って、

「うちだって、いずれは誰かいっしょに暮らしてもらわなくちゃと思ってたんだもの」

と、助け舟を出すことができたのは、春子が龍太郎ほどには長女夫婦の財政状態を知らなかったためだろう。しかしその龍太郎にしても、気の強い逸子が涙をにじませて、

「こんなことになっちゃって」

と言うのを聞いたら、戻ってくるなとは言えなかったのだった。

「窮鳥懐に入《い》れば猟師もこれを殺さずと言いますからね」

囲碁仲間の元大学教授、川島《かわしま》先生が、そう慰めてくれたのだけを心の支えに、緋田家は娘一家を受け入れることにした。

そこではたと困ったのは、彼らをどこに住まわせるかだった。

杉並の家はたしかに老夫婦と息子一人で住むには大きい。しかしそこに、それと同数の一家族がやってくるとなると、いきなり空間は音を立ててしぼむように狭くなる。それればかりではなく、血のつながった母娘とはいえ、長く別々に暮らしていたものが一つの台所を共有するのはただごとではない。火や刃物のある空間だけになおさら危険だ。同居、の二文字がこの家族に共有された時点で、解決策が一つしかないことはあきらかだった。

緋田家には敷地内に二軒の家が建てられている。

春子の実家だった敷地はそこそこゆとりがあったので、龍太郎夫婦が春子の両親と同

居を決めた時点で、もとの家を取り壊して家を二軒建てたのだ。龍太郎と、春子の父がそれぞれ金を出した。岳父《がくふ》が他界して後は、姑《しゅうとめ》にあたるタケが一人で住んでいる。

ようするにもとから二世帯だったわけだから、あっちの建物に一世帯が住めば丸く収まるではないかと、少なくとも逸子は都合よく考えた。広さは1DKだが、台所ばかりかトイレや風呂まであるのだ。

（そりゃね、いまや家族の食事は全部、あっちの分まで私が作ってますよ。だけど、おばあちゃんがこっちへ来ちゃうのとあっちにいてくれるのとじゃあ、ぜんぜん違うわよ）

緋田春子はもちろんそう考えた。

とはいうものの、義理の息子も含めた一家族を丸ごと引き受けるのと、実母を引き取るのとを比較するなら、春子に選択肢はないも同然だった。

ところで、緋田家は二階建てだが、九十すぎの老婆を二階で寝かせるわけにはいかない。一階にはダイニングキッチン、リビングルーム、緋田夫婦の寝室、それに龍太郎の書斎があった。

「嫌だよ」

言下《げんか》に龍太郎は言った。荷物を整理して書斎をあけ渡してくれという春子の要望に対してだ。

「あすこでボクは、誰にも邪魔されずに歯を作るんだからね」

実際、西南にある書斎は、この家でもっとも感じのいい場所で、そこから眺める庭は、狭いとはいえなかなか風流なものだったが、定年退職してからクリニックの備品を次々持ち帰り、あの歯医者にしかない独特の診察台、さまざまな角度から撮られた顎《あご》の写真、それに石膏《せっこう》の歯型やら怪しげなパテやらを、そこらじゅう好き放題に置いている部屋には、春子も好んで足を踏み入れたいとは思わなかった。

「だけど、お父さん、そうしたらおばあちゃん、私たちの寝室に来るってことよ」

龍太郎は鼻の頭にしわを寄せて抵抗したが、春子が長女一家と実母一人を天秤《てんびん》にかけたときのように、彼も書斎と寝室を秤《はかり》にかけて失うべきは寝室と即決した。

夫婦はしかたなく、寝所を二階に移した。もちろん、彼らだって立派に「老人」だったから、二階への昇り降りを毎日課すのはあきらかに危険を伴った。しかし、昇降運動はいちおう体にいいということになっているし、姑のタケはそう長くはもつまいから、いずれ一階の寝室が戻ってくるだろう、それまで体を鍛えておくのも悪くはないという結論に達した。

二階には部屋が三つある。長女の逸子が大学生、次女の友恵《ともえ》が高校生、長男の克郎がまだ小学生だったころに建てた家には、広さには限りがあるが、それぞれの子ども部屋があったのだった。

そのうちの一室は、小学生以来まったく進歩がないと両親を嘆かせる長男が、いまだに占拠している。十年来、けっして近づこうとは思わないでいたその部屋のことを、いつしか龍太郎は「納戸」と呼びならわしていた。なんとなく、そこにいる長男ごと「お荷物」という感覚があったからだ。そして二つ目は本物の物置状態で、三つ目はかろうじて娘たちが帰省したとき泊まれる体裁を整えていた。夫妻はこの三つ目の子ども部屋に、自分たちのベッドを置くことにした。

もちろん、セミダブルベッドを置いた時点でその部屋はいっぱいいっぱいになったが、寝るとき以外には使わないのだからということで、夫婦は妥協した。

一階リビングの隣、南向きの日の当たるフローリングに強制移動させられたタケは、あれから三月《みつき》ほど経過した現在も、ときどきなぜ自分がそこにいるのかわからなくなるらしい。

「私はいいごかないのに、部屋がすっかりいごいちゃった」

と、誰もが一瞬、事態を把握しかねるようなことを言い、

「なんでお父さんがここにいるの？」

と、廊下で龍太郎と出くわすたびにびっくりするのだが、彼女が慣れなくても家族のものはだんだん慣れる。いまでは誰も驚かない。

驚かないといえば、龍太郎はこの二十歳年上の義理の母に「お父さん」と呼ばれる違

和感についても、もうとうに考えなくなって久しい。

こうして、緋田家ならびに柳井家の定位置は決まった。かに見えた。が。

柳井家の長男、さとるが、ある日公然と叛旗《はんき》をひるがえしたのだった。

この家の、ただ一人のティーンエイジャーであるさとるは、少子高齢化の見本のような家族の中で、深い孤独を抱えていた。短い人生がすでにして崩壊の危機にさらされていると思っていた。十三歳という、身の回りに起こる物事すべてが鋭い針のように心を突き刺さずにはいない特別な年齢で、彼は父親の会社の倒産、自己破産という事態に直面しなければならなかった。そして両親とともに、逃げるようにこの家にやってきたのだった。

鉢巻をして、ばかみたいな歌も歌って、毎日ドリルに溺《おぼ》れるように勉強してようやく合格し、将来を保証してあまりあるほど輝いて見えた中高一貫の私立校を、彼はこの春「学費が続かない」という理由で退学しなければならなかった。

一人息子を溺愛《できあい》している逸子は、なんとか通わせたいと画策し、「お父さんに頼んでみようか」と夫に相談したのだが、さすがに「お父さん」には何度も頼みすぎているし、かなりの損失をもたらしている引け目のある聡介は、首を縦に振らなかったのだった。

授業料に施設費、寄付金、その他を加えるとはじき出される年額八十五万円は馬鹿にならないお金だったし、これがこの先五年間続くとなると約四百万、それに中高それぞれの修学旅行代でプラス五十万と、聡介にはだんだん息子が金をノンストップで吸い込んでいくバキュームカーのように見えてきたらしい。

その上、「ママの洋服代」のような、わけのわからないソフト部分の出費がかさむ私立校通いは、自己破産者にとってケタ外れの贅沢《ぜいたく》というわけだ。

しかしそれならそれで、はじめから事情を説明してくれれば受験そのものをしないですんだのにと、さとるは何度思ったことだろう。

はっきり言って、さとるは「のびやか進学塾」が嫌いだった。彼はふつうに繊細な人物だったから、自分があそこに在籍して、海の家の合宿にまで参加し、拳《こぶし》を振り上げて「合格するぞお」と絶叫したことは、墨でベタベタに塗りつぶしてしまいたい悲しい過去だった。某有名私立中合格率七十二%の「のびやか進学塾」に入るには、遅くても四年の一学期から準拠塾での勉強をスタートしなければならなかったが、あの時点で親父の会社は相当ガタが来ていたはずだ。それを、見栄を張って息子をたきつけた上に、酔っ払った席でとはいえ、「おまえには金がかかってるんだから」とまで言ったのだ、あの父親は。

そういうもろもろの事情はあれ、さとるも幼いながらに自分の運命を甘んじて受け入れ、祖父の家に引越してきた。

しかし、中学生にもなって、両親と川の字を作って寝るという環境は、思春期の少年にとって、あまりにも苛酷《かこく》だった。

しかも悪いことに、一切を失って放心状態の父が、朝から晩まで家にいる。

もう少し両親は俺の精神衛生を考えてくれたっていいはずだ、と、さとるは感じた。テレビだって映画だって小説だっていい。中学生がいま、いつなんどき、ほんとにちっぽけな他人との差異を理由に、どんなに破天荒ないじめを受けるかを、扱っていないものはないではないか。そこから推し量れば、自分たちの息子がいまどんな危険に直面しているかわかるだろう。俺は崖《がけ》っぷちにいる。崖。崖。崖。崖っぷちだ。崖っぷちだよ。

スクラッチのように、彼の頭の中に「ガケ」という言葉は響き渡っていた。転入は四月からだったが、それはもうすぐそこに迫る昏《くら》すぎる春だった。

中学受験模試で高得点をはじき出した少年の頭脳は、どうしたら理の当然とも思える公立中学での孤立を食い止められるかだけを必死で考えていて、全身が触れられれば発光する静電気状態だった。それを「みんなで寝ましょう」なんて。俺の母親はばかかよ。そう、さとるは恨みを募らせた。

ある日、とうとう、さとるはぶちきれた。

今朝と同じように、龍太郎が食後のつかのまの静寂を楽しもうとしていた日曜の朝、緋田家ならびに柳井家の人々は、それが届けば天すら落ちて来るのではないかと思うような、すさまじい雄たけびを聞くことになった。

「ぐぐぐああああああああああああああああああああああ」

そして龍太郎は目撃したのだった。

彼の血を引くただ一人の孫が、上半身裸、ジーパンだけを穿《は》いて、両手に大きなバッグを提げ、勝手口から走り出て庭の物置に突進していくさまを。

「なんなの、待ってよ。さとるちゃん。泣いてたらわかんないでしょう?」

後ろから来る逸子も、転がるようだった。

「ぎいいやっががああああああああああああああああああああ」

という、意味不明の音が孫の頭のてっぺんから発せられた。

しかしこれは、母音を注意深く聞けばわかるように、

「いやだ!」

と、さとるが言ったのである。

なにが嫌なのかは一目瞭然だった。そりゃあ嫌だろう。嫌じゃないか、ふつう。

その日からさとるは、物置に立てこもった。学校から帰ると物置に直行して、朝もそこから出て行った。根負けした逸子が、ドアの前に食事を置いて逃げるようにいなくなると、おもむろにトレイをつかんで中に入れ、すっかり食べた後で器を外に出した。

そして、有名中学最後の日が終わると、ほんとうに物置から一歩も出てこなくなった。一族に二人目のひきこもりが誕生した。

さとるに言わせれば、そこはあんがい居心地のいい場所だったらしい。

物置は春子が数年前に特注した。高校時代の友人に勧められて会ってきた占い師が、南東の柿の木の下に物置を作ると家運がよくなると言ったのだそうで、とくに入れるものもないのに庭の一角を占領したその建物は、照明もコンセントもついた立派なものだった。

置きっぱなしになっていた電気ファンヒーターは快適に作動した。母屋から使われていないマットレスを拝借し、キャンプ用のシュラフに勉強道具、携帯ラジオなどを持ち込めば、中学生には快適な隠れ家になった。

物置がさとるの「部屋」として認知されると、さとるは食事や風呂の時間になるとちゃんと出てきて、両親の住む1DKに帰るようになった。家族は少しほっとして、さとるから物置をとりあげたいとは思わなくなった。

後に、

「占い師に騙《だま》されてあんな物置作ったけど、あれからわが家はいいことなしだわ」

と、ぼやいた祖母に向かって、孫はきっぱり言った。

「少なくとも最悪の事態になることは防いだね。あれがなかったら俺は自殺してた」

このようにして、表面上は緋田家に平和が戻ったかに見えた。

しかし紛争の火種は、母屋二階でぶすぶすとくすぶり続けていた。

問題なのは夜である。なにしろ十年来口を利いたことのない父子が、狭い廊下を隔てただけの部屋で向かい合わせに過ごすことになったのだ。

神経質な龍太郎は、克郎の部屋から聞こえてくるカチャカチャカチャカチャというキーボードの音が気になって不眠症になった。それに、寝つかれずにトイレに立つと、自分の遺伝子にむさくるしいぼさぼさの髪をくっつけた顔色の悪い男と鉢合わせしたりする。

明日こそ言ってやる。明日こそこの野郎を家から叩き出してやる。おまえの居場所などないと言ってやる。そう、夜中、わが息子を呪って過ごすのだが、朝になると、七十二年間、事なかれ主義を貫いてきた自分の思想信条を、そう簡単には曲げられないことに気づき、書斎に逃げ込む。そして、まあ今日ではなしに、近いうち必ず、などと言い訳して、夜になると爆発寸前になる。その繰り返し。

それでもあの日、緋田夫妻が次女の友恵に呼び出されるようなことがなければ、龍太郎も「長男を勘当する」という一世一代の大事業を為すことができたかもしれない。それができなくなったのは、まったく新たな問題が、彼の頭を占拠したからだ。

夫妻が友恵と会ったのは、新宿のビジネスホテルのロビーだった。

「家に来てくれたらいいのに、まあ、どうして」

そう言いかけた母をさえぎるようにして、次女は小さな声で、

「別れたの」

と、言ったのだった。

春子は息を呑み、龍太郎は狼狽《ろうばい》してロビーのソファにどすんと腰を下ろした。

龍太郎にはわけがわからなかった。

次女の友恵は大学を卒業して都内の出版社に勤めたが、仕事の関係で知り合った新聞記者と恋愛して結婚し、夫の転勤に伴って大阪へ居を移した。同業者らしい、さばさばした似合いのカップルだと、龍太郎は思っていた。大阪へ行っても、フリーの記者業を続けている友恵はいきいきしていて、「忙しいから帰れないわ」と、盆や正月に電話してくる声にも張りがあり、同じ娘でも「お父さん、ちょっとお金が……」と泣きついてくる長女とは違って、安心感があった。まあ、言ってみればそのように、龍太郎は誤解していた。

しかし、目の前で次女は妻の春子と手を取り合って、ぽろぽろ涙をこぼしていた。そして、

「たいへんだったわね」

と、何もかも承知しているように、春子も目に涙を溜めて娘に声をかけたのだった。

いやはや。龍太郎はそのとき悟った。

自分はこの二番目の子どもについて、なんにもしらなかったのだ。いわば蚊帳《かや》の外に置かれていた。相談されていなかっただけだった。そういうことだったのだと。

次女とその夫は三年ほど前から、あまりうまくいかなくなっていたという。そして一年前に、夫は希望して沖縄支局に異動し、単身赴任していた。東京—大阪間の移動になからかろうじて耐えられた友恵のキャリアも、これが沖縄となるとぐらぐらに揺らいだ。演劇情報誌の編集者を辞めてからも、舞台関係の記事を柱にフリー記者として地歩を築いてきた友恵にとって、一地方にひきこもってしまうのは相当な痛手に思えた。

「じゃあ、来なきゃいいじゃない」

と、夫は言った。そこから二人の別居は始まり、なにやら決定的な事件が起きて、離婚届を出すに至ったということらしかった。

離婚が成立すると、友恵は猛然と東京に帰りたくなった。大阪にはいたくなかった。悪い思い出ばかりではなかったが、どんな種類のものであれ、その土地には失敗した結婚の記憶がこびりついていた。

「すぐ帰ろうかどうしようか迷ったけど、うちは逸ちゃんちのことでどたばたしてたし、しばらく一人でいようかと思ってホテルに部屋とったんだけど、ちょっともう、一人はやばくなってきちゃって」

うちに、あたしがいるとこあるかなあ、と、次女は言った。

そんなふうに言われて、「ない」と答えられる親がいたら、人でなしだ、と、緋田夫妻は語り合った。(「緋田先生の懐も深いが、おたくにはまた、窮鳥が何羽も飛来しますなあ」と、件《くだん》の川島先生は評した)

しかし、なんでもっと早く話してくれなかったのかと、龍太郎は妻を責めたが、春子は、

「いちおう言ったりしたことあるんだけどね。聞いても頭に入らないのよ、お父さんは」

と、恨みがましい目を向けた。

しかしほんとうのところは、父親の龍太郎を圏外において話が進んだのではないだろうかという疑念を、いまだに彼は晴らしていない。

というのも、ペアレンツ・コードには若干ひっかかるかもしれないが、龍太郎の寵愛は長女の逸子に注がれ、春子の贔屓《ひいき》は次女の友恵だったという過去があるからだ。

もちろん、本人たちにしかわからない微妙な差異だし、愛し方の違いであって愛情の総量の違いではないのだと、龍太郎は自分に言い訳している。それでもともかく、友恵は逸子ほどには父親に打ち解けず、悩みを相談することなど滅多にないのが思春期以来の常だった。その逸子だって、何もかも父親に打ち明けるなどということはもちろんなかったのだし、女の子の男親に対する態度などそんなものだろうと思って、格別不満に

も思わなかったが、次女に関しては、どことなく接し方にぎこちなさが漂ったものだ。

成人してからも友恵は、母親の春子にはいろいろな話をしていたらしい。

そこで龍太郎はちょっとばかり、ひがむような気持ちも湧《わ》いたのだったが、いかに母親とはいっても、もっとも重要なことは明かされていなかったのだという事実が判明して、同病相憐《あいあわ》れむといった心境になった。

友恵の妊娠が発覚したからだ。

こうなったからには、沖縄の和仁《かずひと》さん（というのが元夫の名前だった）と、よく相談したほうがいいという意見が春子から提出されたし、春子以外からも提出こそされなかったけれども、一族のほぼ総意となった。

だから、それを頑固に無視して、「もう別れちゃったから」一人で育てると言い張る友恵には、全員が違和感を覚えたものだった。

「友ちゃんは子ども、作らないのかと思ってたよ」

五年前に「二人目不妊」の治療を、その費用的見地からあきらめざるをえなかった、子ども好きの逸子が、そんな感想を漏らすと、

「できなきゃ、持つつもりなかったよ」

禁煙用のシガレット・チョコレートをくわえた友恵は答えた。

「この子を堕《お》ろしたら、もう子どもなんか持てないでしょう」

三十五歳の妊婦は、まだ目立たない腹を撫でる。

逸子はこのとき、「お父さんは誰なの？」という質問を呑み込んだ。

妹夫婦の離婚を決定的にした「事件」について、一族の誰もほんとうのところを聞かされていなかったから、沖縄に行った和仁氏のほうに、なにかあったのだろうという想像が支配的だった。だいいちおかしいじゃないか。なんだって大阪本社勤務を断って、志願して沖縄に行く必要がある？　そう、誰もが思った。

春子と龍太郎は、おなかの子の父親に関する限り、和仁以外の存在など毛ほども疑っていなかった。この老夫婦は、そういうことにはまるで疎《うと》い、ぼんやりしたタイプだった。ただ、逸子だけは、三年間続く不仲と一年間の別居という事実から、両親とは異なる推理を引き出すに至り、夕食後にこっそり聡介に話した。聡介は何も言わなかった。

この、逸子の直感の正しさを証明するできごとはその後に起こって、緋田家と柳井家を震撼《しんかん》させるのだが、それはまた別の話になる。

旧姓を復活させた緋田友恵が実家に戻ったのは、二月末だった。

これで緋田家が外に出したものは全部、しかも外で増えてしまった人数をすべて抱えて戻り、出そうにも出て行かないものが、相変わらず残った。

友恵は、二階の、最後の子ども部屋に落ち着くことになった。なによりそこは、友恵自身が高校から大学まで暮らした懐かしい場所だった。三姉弟《きょうだい》の歴史がわかる不用品が山と積まれていたその部屋を、逸子に手伝ってもらって片づけた。ちょっと胸が痛くなる懐かしさも伴ったが、和仁との結婚生活を思わせるものは一切ない部屋だった。

「落ち着いたら、住むとこ探して出るわ」

戻った当初は、友恵もそう言っていたのだが、妊娠九週目と診断されてからは、それどころではなくなった。とにかく産むのであれば、出産をこの家で、そして身二つになってもしばらくはいることになるのではないかと、家族中が考えるようになった。本人は、臨月まで仕事を辞めないと公言していたが、

「若い子じゃあるまいし。どうなるかわかったもんじゃないわよ」

出産経験者の春子と逸子は鼻を鳴らした。

たしかに大阪から戻ったばかりの友恵は収入も不安定だったし、くわえて体調変化もあるわけだから、家を出るの出ないのという判断は、保留にせざるをえなかった。

こうして、緋田家の家族の肖像の、最後のピースがおさまるところにおさまった。

かに見えた。が。

東京の桜もほころび始め、しかし何かが起こりそうな花冷えの夜、深い静寂を破って、戦争は勃発した。

母屋二階の、トイレにおいてである。

宣戦布告をしたのは、緋田龍太郎だった。

というのも、例のキーボードのカチャカチャのせいで、その夜もなかなか眠りにつけなかった彼は、心を落ち着かせようと薄い水割りを何杯も飲んだせいでかなり頻繁に尿意をもよおすこととなった。

ベッドに横たわる。カチャカチャ音がする。いらいらする。そして尿意。ベッドに横たわる。カチャカチャ音がする。いらいらする。そして尿意。

何度目かの小用に立ったとき、龍太郎はその小さな小窓から明かりが漏れているのに気づいた。息子が入っているのだった。そして息子は出てこない。待つ。いらいらする。待つ。いらいら。

やっと息子が重い腰を上げて、漫画週刊誌を手に個室から出てきたとき、龍太郎の我慢は臨界点に達していた。

「おまえは、なんだっ！」

声を裏返して叫ぶ父親を前に、息子は幽霊でも見たようにぎょっとした顔をした。憤然と息子を押しのけると、龍太郎は大股でトイレに入り、音を立ててドアを閉めた。ようやく自然からの呼びかけに応えて液体を放出させると、今日こそは言ってやる、あの馬鹿に引導を渡してやると、万感の怒りとともに腰を振り、一物をしまう。

そして当然、ドアの前で神妙に父の説教を待っているはずの息子を、パジャマ姿ながら圧倒的な威厳でもって睨《にら》みつけようと、歌舞伎役者並みに顔を作って外に出ると、なんと息子がいない。とうに自分の部屋に戻って鍵をかけているのだ。

「馬鹿者！」

おまえはなんだっていつまでもここにいるんだ。出て行け、ごくつぶし。

どのくらい威厳が保てたかはわからないが、溜めに溜めていた言葉を一気に吐き出すと、もう知ったことかと部屋に戻ってベッドに入った。目を覚ました春子が、お父さん、だいじょうぶですか、と言った。

翌朝の日曜日、龍太郎の寝覚めはすこぶる悪かった。なんとなく言い過ぎたような気もしたし、感情に任せて怒鳴りつけたのもよくないような気がした。そして朝食を終えて、リビングの窓よりの定位置に腰かけ、水を飲みに訪れる小鳥のさえずりに慰めてもらおうと思った矢先、龍太郎は二度と耳にするまいと思っていた雄たけびをもう一度聞いた。

先日の孫とそっくりの叫び声をたて、まるで同じように物置に突進していったのは、彼が十年の間その声を聞いたことがなかった、長男の克郎だった。

克郎は両拳で物置の壁を叩き続けた。

「さとる！　さとる！」

壁の内側にいたさとるは、驚いて跳ね起きた。さとるにしてみれば十三年間生きてきて初めて聞く叔父の肉声だったのだ。

「なに？」

ドアを開けたパジャマ姿のさとるに、万年ジャージを着たぼさぼさ頭の叔父は言った。

「部屋、替わって」

「え？」

「さとる、俺の部屋、使って」

「え？　だって」

「ネット、24時間常時接続。テレビも見られるよ」

さとるは頭の中で瞬時に計算を始めた。物置小屋はすてきな隠れ家だったが、携帯ラジオ以外に外とつながれるものがないことに、やや退屈してきたところだったのだ。

叔父の提案は、十分に魅力的だった。さとるは以前ちらりと覗いたことのある叔父の部屋を思い浮かべた。相当数のビデオとＤＶＤが積まれていたが、あれらを全部この物置に移動するとなると、叔父に寝るスペースは残らないに違いない。

「叔父さんのビデオとＤＶＤ、見てもいい？」

さとるはとっさに口に出した。悪くない提案だろうと思った。克郎は一瞬眉間にしわを寄せたが、さとると同じことを考えたのだろう、

「いいよ」

と、即答した。

ことが決まると、意外にこの叔父は行動が早かった。翌日には光ファイバーの接続技術者がやってきて、物置でインターネットが使えるようにして帰っていったのだ。

「ネットトレーダーだよ、間違いない」

逸子の夫、元証券マンの聡介は、そう断定した。

「克郎くんは、あれで案外、僕らより金持ってたりしてな」

ひきこもりの克郎がインターネットで株取引に従事しているかどうかの確証は、いまだ得られていない。

しかし、ともかくこれで、全員の配置が決まった。母屋に緋田夫妻とタケ、二階に友恵とさとるの部屋があり、夫婦の寝室も二階。別棟には柳井夫妻。物置に克郎。

そういうわけで、毎朝、龍太郎夫妻の朝食が終わると、決まって物置から出てくる克郎を見るたび、龍太郎の「あのとき、ああしていれば」という後悔の念は募り、胃がしくしくと痛み出すのだった。

「いまさら、どうしようもないじゃないですか」

と、春子が呟《つぶや》く。

龍太郎の頭の中には、例のイタリア語が木霊《こだま》している。

酢こんぶプラン

「緋田友恵殿

どうか心を落ち着けてこれを読んで欲しい。

君が詳細を話してくれないので、こちらとしては推測するのみであるが、私もそれほどの朴念仁《ぼくねんじん》ではない。たいがいのことはわかっているつもりだ。

こういう事態に立ち至ったからには、君は君の潔癖な気性からして、すべてを一人で呑みこみ、引き受けていこうとするだろう。

その気持ちは、わからないでもない。

いや、むしろ、現代という複雑な時代を生きる一人の女性として立派だと思う。

そうだ、つまり、応援する。父として、必要なら支援助力を惜しむものではない。

そのことをどうか疑わないで欲しい。

ひょっとしたら君は、父を旧世代の、もののわからん、石頭の、非現代的な、古臭い、そういった男と思っているかもしれないが、それはあきらかに誤解だ。君が思っているより、父は案外これで、どう言ったらいいのか。君が、君の、それを確認した上で、それを信じてもらった上で、あえて提案するのであるが、やはり一度、沖縄の和仁くんと、膝をつきあわせて話し合ってみてはどうか。君が、父性というものに関してどういう考えを持っているかは知らぬが、和仁くんにも、考えなり、権利と義務、もう一度、父、夫婦の、二人が、」

緋田龍太郎が少ない前髪をかきむしりながら、妻の春子に命じられてしたためることにした手紙の下書きを書いたり消したりしているころ、次女の友恵は、検診を受けるため、矢作《やはぎ》レディース・クリニックへ向かっていた。

この後、龍太郎は、うまく書けないのに嫌気がさして、一人、駅前の囲碁サロンへ出かけてしまったので、夫を見送った後に、玄関先を掃いていた春子が遭遇した、ある衝撃的な場面に居合わせていない。

そして、帰宅してからも、春子が催促しないのをいいことに、手紙は中途のまま放り出してしまった。

口うるさい妻が、その日ひどく静かだった理由を、龍太郎は考えてみようともしなかった。

一方、緋田友恵は、矢作レディース・クリニックに、まさに到着しようというころ、携帯電話に一通のメールを受け取った。

一歩立ち止まって、送信元の名前を確認すると、友恵は額にしわを作り、あらぬ方を睨むような表情になった。しかし、その後すぐに電源を切って電話を二つに折りたたみ、もう一度ポケットに突っ込んだ。そこは病院の入口であり、見慣れた名前の相手が送ってきたメッセージを読んだり、それに返信を打ち込んだりするのにふさわしい場所とは思えなかったからだ。

待合室はいつも混んでいる。

座っているのは、ほとんど女性ばかりだが、時折夫らしい男性が混じっていることもある。ピンク色をした壁とソファ、フローリングの床、窓の近くには大きな白い水玉模様をつけた空色のカーペットが敷かれていて、『きかんしゃトーマス』の絵本やＡＢＣのブロックが転がり、弟や妹の誕生を待つ幼児たちもころころ転がっている。流れている音楽はいつもバッハかモーツァルトで、壁に合わせてピンク色の制服を着たナースが、せかせか立ち働いていた。

友恵はビールサーバーみたいな形をした青い半透明のミネラルウォーター用給水器の上に貼られた、「モーニングアフターピル、処方いたします」の文字を見るともなくみつめながら、自分の順番が来るのを静かに待った。このクリニックの張り紙はすべて

『くまのプーさん』イラストの紙に印刷されているので、それが「区民無料・子宮がん検診のお知らせ」でも、「ほんとうに恐ろしいＳＴＤ（性感染症）のおはなし」でも、コブタとプーさんが握り締めたヒモの先に膨らむ大きな風船の中に文字が躍っている。ぼんやりとそのポスターを見ながら、メールの差出人の顔を思い浮かべた。

「性行為後に使用する新しい経口避妊薬・モーニングアフターピル、処方いたします」

処方してもらうこともできたのだと、とつぜんそんなことを考えて、自分の思いつきに軽いショックを受け、言い訳するように腹に手を当てる。

メールとか携帯電話とかいうものは意外にやっかいだ。転居先を知らせていない相手からも、簡単にこうして連絡がやってくる。十代や二十代の若い子たちみたいに、友達を変えるたびにアドレスや携帯そのものを変えてしまうまめさがあれば、こんなことは起こらないのかもしれないけれど、仕事で関わる人すべてに知らせてあるものを変更して、またその知らせを出さなければならないなんていう手間を、めんどくさがりの友恵はしたくなかった。

離婚届を出したのは年末のことだった。それだけで人生の一大事だったのに、続けてこんな事態が降ってくるとは思いもよらなかった。

実家の緋田家に戻ってくるまでのほんの二ヵ月弱の短い期間、どこにいても、どこでもない場所の真ん中にいるようにしか感じられなかった、人生にぽかりと空いたお休みのような時間に、この小さな生命は宿ってしまったのだ。

男と会うのは半年ぶりくらいだった。結婚生活が破綻《はたん》した原因の一つ（けっして最大のものではない）でもある人物とは、そもそもの初めから本気でもなかったし、長く続く関係だとも思っていなくて、夫に知られたのを潮にお別れしたつもりでいた。

あの日、世間はまだなんとなくお正月気分だったから、そのせいで過剰に独りぼっち感が募り、一人で七草粥《ななくさがゆ》をすするのもわびしいし、映画でも見に行くかと出かけていった梅田の繁華街で、二人はばったり再会した。そんなことになれば、誰だって多かれ少なかれそういうことになるはずだ、と友恵は自分を甘やかす。つまり、あんまり不安定だったので、ついふらふらと、関係をもってしまったのだった。

ホテルに入っていって目を伏せていたのは、恥ずかしかったからではなくて、さすがにこういうところでまで金を払うのは嫌だと思っていたからだ。

というのも、相手は駆け出し芸人の若い兄ちゃんだったので、何回か会った半年前も、支払いは友恵が済ませることが多かったのだ。しかし、ここだけは自分が出すのは嫌だった。だから、ずらりと並んだ部屋番号に写真と値段がついていて、空き室だけに電気が点《とも》っている、あの妙なシステムの前で、いちばん安い部屋を探している男の顔を、あんまり見たくなかった。

「正月だしな〜」

という声が聞こえて目を上げると、男は四千八百円ではなく、五千八百円の部屋を選んでいた。正月でも五千八百円だ。それでも男は、

「友恵ちゃんに会えて、うれしいし」

と笑った。そんなところが、けっして嫌いになれない奴ではあった。

うれしい、うれしいと言いながら、男は友恵を愛撫した。

舌が乳首の上を這うのにつられて、友恵も、うれしい、うれしいと言った。

そう言うと、なんだかほんとうにとてもうれしくなってきたし、実際、頭がほわーんとしてくるに従い、気分は高揚した。

火照《ほて》ったからだの中のほうから、湧き水のように温かい液体が滴《したた》ってきた。しんご、という名前のその若い男のせっかちな動きを、奥へ奥へと引っ張り込んで離すまいとするだるくて甘痒《あまがゆ》い下半身は、びっくりするくらいせり上がって、どこか自分のものではないような気がするくらいで、しんご、しんご、しんご、しんごと、意味もなく耳元で男の名前を呼んでみたりした。

友恵は、この日、とても感じやすかった。よく考えれば不思議でもなんでもない、だって排卵日だったんだから——。

「緋田さーん、緋田友恵さーん、二番の診察室にお入りください」

ぼけっと、そんなことを考えていたら、呼び出しがかかった。

友恵は立ち上がって、二つしかない診察室の、奥のほうへ向かった。デスク上にはカルテが広げられていて、その横にはコンピュータの液晶スクリーンがある。

「はい、お待たせね〜」

変なふうに語尾を伸ばして担当医師が入ってきて、椅子に腰かけた。

「どう〜？　変わったことな〜い〜？」

見るからにカツラとわかるぺったりした髪をつけた初老の男性医師は、きっと何十年もこの口調で妊婦と接してきたのだろう。見た目は悪いが腕は確かだそうで、たしかに内診のときの感覚がよそとは違う。三年ほど前、不妊治療のために通っていた婦人科で月に何回も苦手な内診をされていたころは、異物がからだに侵入するときの抵抗感に毎回悩まされたものだが、この先生の「入れますよ〜」は、ほんとにするりと入る。

お腹が空くと気持ちが悪くなりますとか、あったかいトマトソースがとくにダメですとか、いちおう神妙に報告すると、

「ワタシもあれ、苦手なんだよね、トマト。においだろ」

誰も聞いていないのに、妊娠経験があるはずもない医師は言う。

おそらく医師としては気にとめる必要もない、どうでもいい症状なのだろう。

「はーい、じゃ、ちょっと見てみましょ〜」

そこで友恵は立ち上がり、隣のスライドドアを開けて内診台のある小部屋に入る。カ

ーテンで仕切られた、試着室のような場所で下着を取り、慣れた態度で台に腰かけた。

「入れますよ〜。力抜いてね〜」

カツラ医師が、超音波検診に使う触角のような器具を挿入する。するり。今回も楽に入った。右脇に据えられたモニターの、白黒画面に映像が浮かぶ。

「ほら、もうおっきくなってるね〜。いいよ〜、いいよ〜、とっても順調ですよ〜」

そうか、そんなに順調なのか。下降して止まる内診台から降りて、また先ほどの部屋に戻ると、医師はいま撮影したばかりのエコー写真をぺらぺら振っている。

「8センチね、もう20グラムになりました。ここ頭ね、こっち足。人間の形してるでしょ？　十週目ね。順調。あと一月《ひとつき》がんばろうね。そしたらつわりも治まるからね。はい、ご苦労さん！」

そう言って送り出されて、待合室に戻る。

できてしまうとあっけないもので、日ごと週ごと月ごとに、どんどん育っていくらしい。

喜びが、こみ上げないと言ったら嘘《うそ》になる。でも、なぜ、いまになってなんだろうという疑問は頭を去らない。なにかにとり憑《つ》かれたようにして不妊治療に通っていたころは、悲しいほどなにごとも起こらなかったのに。

とつぜんの「妊娠熱」にかかったのは、大阪に行って間もないころだった。

結婚して最初の三年は東京で過ごした。だから結婚前とその後で、あまり生活に変化がなかった。ところが、夫の転勤について大阪に引越すと、仕事が激減した。というよりも仕事なんか、なかったのだ。それまでは出版社の社員編集者だった友恵に、知己のない大阪で仕事をくれる人などいなかった。

そこで、計画を立てて実行するのが好きな友恵は、「そうだ、妊娠しよう！」と思い立った。そのときは三十二歳で、子どもを持つのに早くもないが、体力もそこそこ残っている、いわば産み時だったし、しかも仕事がないとなれば絶好のチャンスだと思われた。

妊娠して、子どもを育てながら少しずつクライアントを開拓し、三歳になるころには完全職場復帰。いかにも頭でっかちなプランを思い描いて出産計画を立てた背景には、「夫の都合で無理やり仕事をやめさせられた」という気持ちが、なかったとは言えない。でもそれを、「子どもづくり」というポジティブな方向へ昇華させる私はなんと前向きなんだろう。そう、友恵は自画自賛したが、それがそもそもの間違いだった。

子どもなんて、避妊をやめさえすればできると思ったら、ちっともできなかった。

しかたがないので、病気でもないのに「治療」と名のついた生殖医療に通い始め、とはいっても「高度」ではないほうの、ホルモン剤を投与されて卵胞チェックに行き、「この日とこの日に、仲良くしてください」と指示されるものだったが、「仲良くしてください」とはまた、独特の言い回しだと友恵は思う。

ひょっとしたら、長いこと不妊治療に通っていた姉の逸子に相談したらよかったのかもしれない。二人目ができないからと、それこそ顕微授精まで試みたことのある逸子は、いろいろ辛いことがあったに違いない。けれど、彼女が必死で治療に取り組んでいたころ、友恵は現役の編集者で、昼夜を分かたず仕事をしていたから、はっきり言ってまったく親身になれず、「一人いるんだから、そんながんばんなくて、いいんじゃな〜い？」などと、平気で姉を泣かせるような発言をしていた。

そのときのこともあるし、あまりプライベートなことで熱くなったりしない「クールな友ちゃん」を、家族内キャラクターとして三十何年演じてきた過去もあって、姉に「自分も不妊治療を始めた」と言えなかった。言ったら二人はその経験を、お互い慰めあったり、気晴らしに笑い話にしたりできただろうと、いまは思う。意地っ張りで見栄っ張りの友恵は、東京にいるかつての仕事仲間に「仕事がないから子作りしてる」とも言えなかった。言ったってよかったじゃないのと、こちらもいまになると思うのだ。

「なんだろね、大阪行ったら、できちゃったんだよ。考えてみれば、いいタイミングだったよね。仕事も少なくなってたしさ」

と、さりげなく友恵は言いたかった——。

「緋田さーん。緋田友恵さーん」

さっきとまったく同じイントネーションで呼ばれて、診察代を払って外へ出る。実家の緋田家までは、徒歩二十分ほどの距離だ。

歩きながら、友恵はまた回想する。

あのころの自分は、ぜったいおかしかった。生涯で、あんなに泣いたことはないというくらい、友恵はしょっちゅう泣いていた。

まずだいいちに、基礎体温に泣かされる。

こんなものは計りさえしなければほんとうにどうだっていいものなのに、うっかり計り始めたらさあたいへん。排卵日の前に下降しない、排卵日の後に上昇しない、高温期が続かない、高温期がだらだら続いたのに妊娠しない、高温期は高温期だが、高温が高温と言えないほど低すぎて、むしろ低温と呼ぶのにふさわしいくらいで、低温期の低温はもっと低くて超低温である……、といったぐあいに、「未妊」（妙な単語だが、「未だ孕《はら》まず」という意味の造語らしい）女性を悩ませる。

ホルモンの不調を改善するために、「マカ」だ「おたねにんじん」だ「葉酸」だ「イソフラボン」だのと（ところでこの「イソフラボン」は、あっというまに「妊婦が摂《と》りすぎてはいけない栄養素」に指定された。ようするに、あんまり情報に踊らされてはいけないということらしい）、自らあれこれ試しているぶんにはまだ害がないのだが、もっとも危険なのは夫、精子の製造元とのトラブルである。

友恵の排卵予定日がAとすると、夫・和仁の精子が体内で生きているのは約三日間、卵子の生命は二十四時間から三十六時間、となると（A－3）日目から始めて、（A＋2）日目まで、毎日だと精液が薄くなってしまうから中一日空けて、ぽん、ぽん、ぽんと三回くらい「仲良くする」のが望ましい。

などということを、いくら説明しても、多忙を極める新聞記者にはわからない。だから最大に譲歩しても今月この一日、この一回だけは確保してもらわねば困ると思いつめ、「この日にぜったい、仲良くして！」と、仲良しとは程遠い表情で詰め寄るようなことになる。そうなると相手も、うるさいことを言われないためにだけ、「わかった、じゃあ、帰ってくる」と吐き捨てるように言って出かけていき、帰ってこないこともないのだが、仕事が仕事だから約束した時間きっちりには帰れず、それが四時間、五時間とだんだん遅くなって、夜はしらじらと明け初《そ》めるなんてことになる。

なに考えてんの？　もうとっくに基礎体温は上がっちゃったのよ。上がったということは排卵したということよ。今月、低温期に一回もしてないじゃない。これで三日前くらいにでもなにかあればまだ許せるわよ。でもゼロじゃない。だから昨日の朝しておけばよかったのに疲れてるとか言うし、ぜったい夜には帰るっていうから送り出したのに、嘘ばっかり、帰らないじゃない？　おそらくは一昨日の夜くらいには排卵していると思われ、となると昨夜のたぶん八時過ぎに卵子耐久時間の二十四時間を過ぎてしまっていると考えられるけど、無理して三十六時間持続すると見積もっても朝の八時までに「仲良く」しなくちゃ今月も妊娠できないっ！

というのが、どれくらい切羽詰まった気持ちなのかは、経験者でないとなかなかわからないだろう。

そのうえ、ぎりぎりの「朝七時」くらいに帰ってきて「ちょっと、ごめん、寝かせて」などと言う夫を前にすると、それがとうぜんの生理的欲求であり、妻としてそれを許さないのは残酷であるという、あってしかるべき良識が音を立ててどこかへはじけ飛ぶ。

夫が酒でも飲んでこようものなら刃傷沙汰《にんじょうざた》になりかねないほどの緊迫した空気が流れる。こんな状態では「仲良く」しようもないのに、人間は頭で行動する生物だから、夫婦は爆発寸前の怒りを無言で抑えてもくもくと行為にはげむ。しかし、下半身はときに、人間の一部とは言いがたいほど独立した動物的知性を発揮するもので、眠いときは眠い、したくないときはしたくないと、たいへん正直である。

ちょうど排卵日前後に彼が出張を入れてしまったとか、それも二ヵ月続けてそうだったとか、ケンカになる原因を探すのは、いつだって簡単だった。

もちろん、そんなにぎすぎすしていてはできるものもできないから、旅行してリラックスしようといった、ごく常識的な提案をし、実行したこともある。そんなときに限って、いつもより排卵が遅れたり、果てはからだが排卵じたいをさぼってしまう、「黄体化未破裂卵胞」などという舌を噛《か》みそうな症状に見舞われる。

そうなればそうなったで、こんどは自分を責め始める。

いままでからだに無理かけて、だいじにしてやらなかったから不妊体質になっちゃったんだ。で、泣く。プーケットの水上コテージで、わんわん泣き、隣の夫は片っ方の耳を指で塞《ふさ》ぎながら、国際電話で仕事の打ち合わせをしている。

トータルに俯瞰《ふかん》して分析すると、「友ちゃんが変わっちゃったんだ」という元夫の言い分が正しくないとは言い切れない。

なんど思い出しても、たしかに自分はあのころ変だった。

「前は、子ども欲しいとか言わなかったでしょう？　俺はいまでも、べつにできなきゃできないでいいと思ってるよ」

とか、

「なんかさあ、もうちょっと他のこと考えれば？」

とか、

「俺がどれだけ忙しいか、友ちゃんだって前は仕事してたんだからわかるでしょう？」

などと、夫が不用意に口にする一言一言が、自分でも怖いほど神経に障る。

友恵が変わったのではなくて状況が変わったのであり、その事態を作ったのは夫本人

で、妻のほうは新しい状況に適応しようと必死なのだということが、なぜ、この男には
わからないのか。
そういうことが続くと、「この人、あたしのやってたちっぽけな演劇情報誌なんて、
自分のやってる仕事と比べると程度が低い、みたいな気持ち、最初から持ってんのよ。
だから大阪について来いとか言えるわけでしょ。ばかにしてんのよ、あたしのこと」と
いった、人間関係を悪くする方向にしか作用しない、余計なひがみや雑念に襲われる。
たしかに会社をやめて引越したのは大きかったが、べつに、東京で仕事を続けていれ
ばよかったとかいう話ではないのだ。
友恵は和仁との間に子どもが欲しかった。家族を作ろうと思ったから、同棲ではなく
結婚を選んだのだった。そして「産むならいましかない」と思った。「いまなら産める
し、産んでから態勢を立て直して、自分らしい仕事も家庭も築いていける。だから、い
まなの」と、友恵は思ったのだ。その切実さを、和仁はまったく共有してくれなかった。
でも振り返って考えれば、「いまを外したら産めなくなる」と、強迫的に思うことだ
って問題だったに違いない。当たり前のことかもしれないけれど、そんなに「計画的
に」なんか、ものごとは進まない。
それでも友恵は計画が好きだった。
学生時代のボーイフレンドで、「君はコントロール・フリークだ」という言葉を投げ

つけて去って行ったのがいた。あのときもっとそのことをよく考えればよかった。恋愛でもなんでも、友恵は自分で決めるのが好きだった。つきあう男を決め、自分から好きだと言い、終わらせるのも自分から。デートの場所も結婚式の日取りも、すべて自分で決めてきた。意志と努力さえあれば、たいていのことは手に入れられると思っていた。そして実際手に入れてきたのだ。赤ん坊以外は。

不妊治療も二年目になると、夫婦の間では、もっと高度な生殖医療に進むかどうかについて話し合いがもたれたが、夫の賛同が得られずに、友恵は何度も泣くことになった。三年目の春、和仁は希望を出して、沖縄支局に転属になった。

和仁がいつから沖縄に興味を持っていたのか、友恵はまったく知らなかった。そのころには、ぼちぼち大阪でも仕事が成り立ち始めていたので、ついていくのにはちょっと躊躇《ちゅうちょ》した。

けれども和仁が、

「沖縄、のんびりしていいよ。子どももできるかもしれない」

と言ったのが耳に残り、残務整理的に大阪の仕事を終わらせたら、もちろん自分も行くつもりだったのだ。

那覇《なは》を訪れたのは五月の終わりだった。ともかくお休みのつもりで出かけて、どんなところか見てから引越し荷物を送るつもりだった。いい季節で、たしかに海は人間の素朴な営みを励ますような、深い青い色をしていた。

あんなに美しい場所なのに、なぜ自分がそんなふうになったのかわからない。

ほんとうは、わかるけれども、わかりたいと思えない。

ターコイズ・ブルーの海と砂浜と南国の光とまばゆい花々の中で、泣き出して止まらない自分は、阿呆《あほう》のようだった。もしくは、すっかり薄汚れてしまったなにか。頭のおかしい女。

「俺は、ずぅっと、こんなところで暮らしてみたいと思ってた」

大阪時代とは別人に見える溌剌《はつらつ》とした表情で、「島暮らし」の良さを語る夫の脇で、友恵はおんおんと泣き続けたのだ。「私は、ここでは、暮らせない」と叫んで。

しばらく別居を続けようということになり、二月《ふたつき》ほどが流れ、やはりもう一度話し合おうと決意して、予告もなく夫の部屋を訪れると、女がいた。ビデオジャーナリストと名乗る背の高い女と夫は、仮住まいのワンルームにひどく濃い空気を漂わせていた。

友恵が、十四歳年下の、お笑い芸人と知り合ったのは、ちょうどその少し後だった。

自分の数少ないレギュラー・レポートである「今月の若手芸人」の取材に、飄々《ひょうひょう》と楽しそうに現れ、友恵を芸人仲間の飲み会に誘い、しつこく電話をかけてきて、緊張しながらデートに連れ出したその若い男に、友恵はあきれるほど簡単にひっかかった。

しばらくして、夫はふらりと大阪にやってきた。女は沖縄ではなく、インド洋だかどこかの沈み行く島を取材するためにいなくなってしまったらしい。

よせばいいのに友恵は、夫に自分の浮気を告白した。「おあいこ」だということを確かめておいたほうが、お互い気が楽になるだろうと、とんでもないことを考えたのだ。やはりホルモン・バランスがおかしかったのか。それとも生来の意地っ張りがこんなところでも邪魔をするのか。

失点。失点。失点。失点。こうして近過去を振り返っていると、ありとあらゆる場所で、友恵は自分が間違った対応をしていた気がしてくる。

夫の和仁も同じだった。二人して、「あのときこうしていれば」の逆ばかりやっていた。「右曲がるぞ〜」と言いながら、平気で左にハンドルを切る、老人ドライバーのように。

「沖縄で彼女と暮らそうなんて思ったことは一度もなかったよ。ほんとに、島で君とやり直すつもりだったんだ。少なくともどっかの時点までは」

二人の関係が修復不可能になってから、和仁はそんなふうに語った——。

いろいろなことを思い出していると、急に友恵はこの時期特有の現象に襲われ、母子手帳と財布を入れたポシェットから「酢こんぶ」を取り出して口に含んだ。「酢こんぶ」だなんて。なぜ私が「酢こんぶ」なんてものを食べなきゃならない？　いったい自分の中のなにが、「酢こんぶ」を食べたがっているのか？　ともかく、妊娠前にはそんなものの存在すら無視していたような海藻に、いまや友恵は頼りきって生きている。「酢こんぶ」をすすめたのは、母の春子だ。実にこれは春子の手作りで、彼女も妊娠中は、これを食してつわりを抑えたという。

「市販のものだと塩分が強すぎて妊娠中毒症になる危険があるから、自分で作ったほうがいいのよ」

と、春子が言った。

「私のときは、母さんの『酢こんぶ』、なんの役にも立たなかった。ぜんぶ捨てちゃった」

姉の逸子には、つわりがなかったのだそうだ。

実家に戻ってくるのでバタバタしていて、生理がなくなったのに気づいたのも遅かった。かつては物に憑かれたように毎日使っていた婦人体温計もどこに入れたかわからなくなったような状態で、母に体温計を借りて熱を計ると、高温期の体温だった。市販の妊娠検査薬が陽性反応を出し、あわてて駆けつけた産婦人科では、医師に「おめでとうございます」と言われた。

ほんとうのことを言えば、頭はまだ少し混乱していて、事態を完全には把握できないでいる。生命の神秘は、「計画」だの「ライフデザイン」だのを、すっかり無視してやってきた。

まだ、和仁との間に修復の可能性が残っていたころに、まったく別の形で現れていたら、その後友恵が選択したような事態はひとつも起こっていなかったかもしれないのに、「歴史にイフはない」ように、夫婦の軌跡にも「もしも」はないわけだ。

お腹に子どもがいることがわかったとき、産むことだけは瞬時に決めた。

あんなに待ち焦がれたこともあったんだから。一人っきりになってしまった自分を、慰めるように来てくれた新しい家族でもあるんだから。

相手の男に知らせる気にはなれなかった。二十一歳の、駆け出しの、大阪の、コメディアンに?

「産まないで欲しい」と言われたくはなかった。けれど、それ以外の言葉が聞けるとも思えなかったのだ。

「ただいま」

実家の玄関のドアを開けると、母の春子が「おかえりなさーい」と言いながら廊下をこちらに向かってくる足音が聞こえた。

「どうだった？　検診」

「うん、順調だってさ」

「あら、よかった。あのね、友ちゃん」

「ん？」

「今日ねえ、お母さん、玄関、掃いてたら、お友達が訪ねてみえたのよ」

春子は、未整理の箱の中を引っ掻《か》き回して探し物をするような、妙な顔つきをする。

「友達？」

「あのねえ、お名前聞いたのよ。そしたらそうねえ、こう、若い人の口調というのかしら、それでもってねえ、『名乗るほどのもんじゃ、ねえっす』って言って、帰っちゃったの」

誰かに強く頭を叩かれる音が耳元で響いたような気がした。

はっとして、友恵はポケットから携帯電話をつかみ出した。

「『冬のソナタ』の人みたいな眼鏡かけててね。それはいいんだけど、お母さん、ちょっとびっくりしたのね。ああいう、ヘアスタイルっていうのかしら？　見たことがなかったもんだから。友ちゃんのお友達、あれね。ちょっと、変わった方ね」

言葉を選びつつも驚愕《きょうがく》を隠さない母に答えるかわりに、友恵は左手で携帯メールを開いて見る動作をしながら、同時に頭の上で右手を左右に振ってみせた。

「そう！　そうなの。髪の毛の半分が黄色で、半分が緑なのよ！　やっぱり、あの方、友ちゃんのお友達？」

うなずきながら娘はメールに目を落とした。

〈東京に来たぴょ～ん。住所は『月刊すていじ』の宮原さんに聞いちった。また連絡し

まつ。しんご。）

友恵自身もあっけにとられた。なんだ、こいつは。

「どういう方なの？　あの方。どういう関係のお友達なの？」

興味津々の緋田春子は、台所に水を飲みに行く次女について歩く。

どういう方って、ほんとうに聞きたいんだろうか、この母は。

友恵は、出身は埼玉なのにお笑い芸人になりたいばっかりに養成所を目指して大阪にやってきて、ようやく卒業して「ピン芸人」を目指している、漆畑慎吾《うるしばたしんご》の顔を思い浮かべた。自分でつけた芸名は「うるうるしんご」だった。とても売れるとは思えない名前だ。

一月に会ったときは、髪の色はピンクと黄色だったが、そうか緑に変えていたか。趣味が編み物なので、たいがい自分で編んだニットを着ている。「編んじゃうヨ、編んじゃうヨ」という意味不明のギャグをもちネタにしているところを見ても、成功が望めるとは思えない人物だったが、ひょんなことから地元のケーブルテレビの幼稚園訪問番組のリポーターに抜擢《ばってき》され、幼児に小さな人気を呼んだ。

東京に来たのは、観光か？　それともこっちに出てきてしまったのか？　だとすればあの、生命線とも言える『パオパオ・キンダ』の仕事はどうしてしまったのか？

もちろん、そんなことは、友恵の知ったことではないが。

コップ一杯の水道水をぐいっと飲み干すと、友恵はほとんど深く考えもせずに、次の言葉を発した。なんか、ゴロがよくていいじゃないの、これ。ほらさ、「翼よ、あれがパリの灯だ！」みたいでさ。

「胎児よ、あれが父親だ！」

春子は意味がわからず、目をきょろきょろさせた。

なにを言ってしまったの、私？　友恵は自分の発言に驚いた。

まるで、誰か他人が友恵の口を借りてしゃべりだしたかのようだった。子どもがお腹に入ってからというもの、からだが半分自分ではないみたいだ、と思っていたが、とうとう言論まで、何者かにのっとられたか。

春子は何度か口の中で、娘の言葉を繰り返し、ゆっくりゆっくり意味をとっていくうちに、腰が立たなくなったらしくキッチンの椅子に座り込んで息を弾ませる。

友恵はポシェットから「酢こんぶ」を取り出し、口に含んだ。

なんで私、こんなもの食べてんの？

とつぜん、強烈な笑いがこみ上げてきた。

気の毒な母。それに父も。逸ちゃんはなんて言うだろう？　芸人？　知らないよ、誰も、「うるうるしんご」。知ってたら、気絶するよ。

そう考えると笑いが止まらなくなり、しまいには涙も流れ出し、むせたり、咳《せ》き込んだりまでしながら友恵は笑った。

飲み込まずにいる「酢こんぶ」が、じんわりと口の中に滋味をしみわたらせた。

公立中サバイバル

「柳井！　柳井！」

荻窪《おぎくぼ》駅前で声をかけられて、振り向くと開蔵《かいぞう》中の佐藤耕太《さとうこうた》がそこにいた。

柳井さとるの家は西武線沿線なので、荻窪へはバスでたまに出るくらいだが、たしか佐藤の家は天沼《あまぬま》近辺だから、ここが最寄り駅なのだった。

「柳井さ、ケータイどうかした？」

「ああ、うん、失くした」

「早く、新しいの買えよ。連絡して」

そう言うと、佐藤は、地下駅改札口へと階段を駆け下りて消えて行った。

買えねえよ。

柳井さとるはひとりごちた。

さとるはこの春、中高一貫の名門・開蔵中を退学して公立中学に編入したばかりだった。父の事業が破綻し、学費が続かないとの理由で開蔵をやめさせられたときに、「地元の桃中に行くのに、いらないわね」という母の判断で携帯電話も取り上げられたのだった。

若干使いすぎで電話料金が嵩《かさ》んでいたのもまずかった。でも、中学生にとって携帯を失うのは世界を失うに等しいと、四十代の母は知らない。

「うちから0033とか0036で電話かければいいじゃないの」

「克郎おじさんに借りてるパソコンからメール打てば？」

そんなことができると、本気で思っているのだろうか。

さとるは深い、深い溜め息を一つつき、中井草駅行きの関東バスに乗り込んだ。乗り込んでから、しまったと思ったが遅かった。バスは発車してしまい、小太りで眼鏡をかけた、小宮山《こみやま》敦《あつし》が近づいてくる。

「柳井くんじゃない、奇遇だなあ」

この、話し方が、まずいけない。キグウって、言うかふつう。中学生だぞ。

「あれ？　柳井くん、本屋の帰り？　なに買った？」

小宮山はさとるの手にした〈新星堂〉の袋をちらちら見る。べつに、とか、なんでもねえよ、と言ってもいいのだが、食い下がられるのもめんどうなので、袋を両手で開いてみせる。

「さすが、柳井くん。知的なものを読んでるなあ。刺激になるよ。俺も読もうっと」

ああ、うざい。『ダ・ヴィンチ・コード』だぞ。超ベストセラーだぞ。誰でも読むだろう。

「じゃあ、明日、学校でね！」

バスが「樽水《たるみず》三丁目」の停留所に着くと、小宮山は手を振って転がるように降りて行った。さとるは次の「妙冠寺《みょうかんじ》池」で降り、とぼとぼと家路についた。

叔父の克郎から借り受けている母屋の二階の部屋に戻ると、『ダ・ヴィンチ・コード』といっしょに買った『ファイナルファンタジーⅫ』で、しばらく遊んだ。

それから、両親の住む離れに行って、夕食を食べ、「公立に行ったからって油断してると成績落ちちゃうわよ」とか、「あんた、克郎の部屋なんかにいて、遊んでばっかりいるんじゃないの？」とかいった、聞いても聞かなくてもいいことを聞かされ、シャワーを浴びてから母屋に戻り、「やっぱり、おかあさん、携帯はダメだって」と、しょんぼり肩を落としてみせて祖母の同情を引き、二千円ほど臨時収入をせしめて、また二階の部屋に戻った。

明日は月曜、小宮山が言うように、学校がある。さとるは、机の引き出しを開け、自分で書いた「公立中サバイバル・マニュアル」を引っ張り出して、それを眺めた。

一、できるだけ、目立たないようにする。

二、発言するときは、ちょっとした笑いをとる。
三、誰にでも、愛想よく。
四、身だしなみは清潔に。
五、答えがわかったからといって、手を挙げない。
六、いじめには加担しないが、いじめられっ子とは距離を置く。
七、近づきすぎる相手とは、距離を置く。

この最後の、「近づきすぎる相手とは、距離を置く」に、小宮山敦がどうしてもひっかかるのだ。

人が転校生に接するときは、ある程度時間が経って、正体が割れるまで、遠巻きに見ているものだ。のっけから親しげに近づいてくる場合は、なにか裏がある。集団の中で孤立している人間ほど、新参者に近づいてきて、仲間を作ろうとする。うっかり、近づいてくるヤツと仲良くしてしまうと、ただでさえなかなか受け入れてもらえないニューカマーは、その後もずっと、はみ出し者として生きていかなくてはならなくなる。

これが、さとるが知恵を絞ってひねり出した「転校生の法則」で、「近づいてくる」というだけで、小宮山には警戒心が働くのに加え、案の定、小宮山はクラスから浮いている。

しかも、小宮山ときたら、一日目から妙にうれしそうな表情で、

「開蔵中のこと、話してよ。俺も受けたんだ。ほんとは行くはずだったんだよね」

などと、大きな声で言ったのである。

あの時点で、戦略一「できるだけ、目立たないようにする」も、危うくなった。

クラス中の目が、「げー、こいつ、開蔵から来たのかよ」という険しい色に変わった瞬間を、さとるは覚えている。

事実、「すごいね」とひと言かけて、さっさと帰っていった渡辺力也《わたなべりきや》は、それ以来、ほとんど口をきいてくれない。あきらかにクラスの中心人物である渡辺とは、できればいい関係になっておきたかったのだが。

気がつくと小宮山はいつも近くにいて、

「桃中の二年で一学期から因数分解がわかってるのは、俺と柳井くんくらいだよ」とか、

「俺、柳井くんが来るの、待ってたよ。桃中の連中とは、話が合わないからさあ」と、さとる渾身《こんしん》の「サバイバル・マニュアル」を、ぶちこわすことばかり言う。

小宮山は、たいして難しい問題じゃなくても、「はーい、はーい」と、平気で手を挙げるし、教師が「小宮山以外で、わかる人はいるかな?」などと言うと、あからさまにこっちを見て、うんうんとうなずき、「柳井くんなら、わかるよね」とアピールする。

小宮山、小宮山、こ・み・や・ま！　頼むから俺に近づかないでくれ。

もう一人、藤代美緒《ふじしろみお》という女子が、最初のころ、わりと頻繁に話しかけてきていた。

こちらは、そんなに悪い気はしなかった。美人じゃないけど、ちょっと雰囲気のあるヤツで、ほかの連中よりいくらか大人びて見えた。中高一貫の男子校から公立に転校する唯一のメリットはクラスに女子がいるということなのだから、その恩恵には少し、与《あずか》ってもいいはずだとさとるは考えていて、戦略七に関しても、男子に比べ、ゆるく適用しようと決意しているにもかかわらず、藤代以外の女子はちっとも寄ってこない。

四月の初めに、藤代が「今日の三時間目は、理科室だから」と言って、校内地図に不慣れなさとるを、理科室まで連れて行ってくれたことがあった。けれど、その日は理科の丸元《まるもと》先生がお休みで、教室で自習になった。知らなかった藤代とさとるだけが、ぽつねんと理科室で五、六分、待つことになり、それはそれでけっこう楽しかったのだが、早とちりで転校生を間違った場所に案内してしまったのが気まずかったのか、あれ以来、あまり声をかけてくれなくなった。

小宮山のことを除けば、さとるの徹底した「マニュアル」遵守により、いじめられたり、極端に仲間はずれにされたりすることもなく、桃中での生活はめぐっている。

担任の野々原満智子《ののはらまちこ》先生は、ぼけっとしたタイプだが、悪い人でもなさそうだ――。

そんなことを考えていたら、ノックの音がしてドアが開き、友恵叔母が顔を出した。

この叔母のことは、小さいころから「友ちゃん」と呼ばされているので、いまだにそんなふうに呼んでいるけれど、年齢的にはおばさんなので、違和感がある。

「ごめん、さとるちゃん、プリンタの紙づまり、直してくれる？」

「ちゃん、やめてよ」

この人は機械が苦手らしく、ＰＣのハングアップとか、印刷機のインク切れとか、つまらないことで大騒ぎしては、さとるを呼びにくる。早く新しい男を見つけて再婚したほうがいいんではないかと、さとるは密かに思っている。

「なにしてたの？」

母屋の二階には、さとるの部屋と祖父母の寝室、出戻りの友恵叔母の部屋があるのだが、細い廊下を挟んではす向かいに位置する彼女の部屋へ行き、プリンタの蓋《ふた》を外して、縒《よ》れた紙を引き出していると、叔母がそう聞いた。

「新しい学校でいじめに遭わないための戦略を練ってた」

友恵叔母は、なんにも考えずにぐいぐい紙を引っ張ったらしい。しわになってちぎれた紙が、ひっからまっている。

「いじめってさ、そこまで怖い？」

「怖いに決まってるでしょうが」

「私、けっこう中学んとき、いじめられたけど」

「友ちゃんが中学のころと、二十一世紀とじゃ、いじめの質が違うから。下手すりゃ、死ぬよ、人は。いじめで」

「そうかもしれないんだけどさ。でもさ、自分しか自分を守れないってときに、『いじめられたら死ぬしかない』って思ってたら、ほんとに死ぬしかないじゃん」

「だよね」

「『そう怖いもんじゃない』と思うこと以外、自分を守る方法って、なくない?」

「いや、そうなったらもうおしまいでしょ。俺は、そこまで追い詰められないための自衛策をとるほうが利口だと思ってるけど。直ったよ、紙づまり」

ありがと、と友恵叔母は言った。こうして何回か貸しを作ったので、いざというときには、祖母以外に叔母からも小遣いがもらえるかもしれない。

月曜日には、たしか体育がある。グループ競技じゃなきゃいいが。

そう思いながらさとるは眠りについた。

翌日、校門をくぐると、ボールみたいな体型の小宮山がころころ転がってくるのが目に入った。

「柳井くん、おはよう!」

「あ、うん」

「柳井くんって、『のび塾』だったんだね!」

「え?」

「俺も、荻窪教室だったんだよ。昨日、全国模試のランキング見ちゃった。柳井くんって、三田教室でトップだったでしょう！　そんな人が桃中に来てくれるなんて、すごいや！」

げー、こいつ、なんで小学校のときの模試のランキングなんか持ってんの？　しかもなんでこんな、声でかいの？　うざい。小宮山、ヘンなヤツ。頼むから、近づかないでくれ。

渡辺力也が、こちらを見もせずに通りすぎたが、耳に入ったに違いない。

有名中学にいたことを鼻にかけてるヤツ。

小宮山の積極的な働きで、桃中二年三組における、柳井さとるの評価は、早晩そのように定まっていくだろう。

こうなったからには、ボケをかましたり、ちょっとおもしろいことを言ったりして、「勉強はできるけど無害なヤツ」という地位を勝ち取るしかない。

さとるはまた、溜め息をついた。

案の定、体育はスリー・オン・スリーで、新参者にはなにかと酷なグループ分けがあった。ただし、男子体育の小松《こまつ》先生は、グループ分けを生徒にまかせたりせずに、身長のバランスで機械的に分けてしまったから、さとるは渡辺力也と同じグループになり、小宮山といっしょではなかった。

さとるの運動神経は並だけれど、何度かいいパスを出して、渡辺に花を持たせたから、そう悪い印象ではないだろうと、自らを慰めることにした。

ネットで半分に仕切られた体育館の向こう側では、女子が創作ダンスをやっていた。

時折、二人組になる場面があったが、そうなるとかならず一人になってしまう子がいる。いつもいつも同じ子が一人になる。女子体育の水原《みずはら》先生は、どうしてあれを認めてしまうんだろう。つまらないことだけれど、せめて小松先生のように、妙な状況を作り出さないようにするのが教師の務めでは……。

ほかのグループがゲームをしている間、そんなことを考えてぼんやり女子のダンスを見つめていたさとるは、その一人ぼっちの女の子が、あの藤代美緒であることに気づいて、背中にひんやり、いやな汗が流れた気がした。

考えてみれば、思い当たることは多い。小宮山と同じくらい早くから、藤代は近づいてきて、体育館や音楽室の場所を教えてくれた。「なんでも、わかんないことがあったら聞いて」と、笑顔で言った。

下校で途中までいっしょだったこともあった。一人で帰る女の子なんて珍しい。

あの理科室の出来事も、考えればつじつまが合う。ほかの連中は自習だと知っていて、新参者のさとるると、仲間に入れていない藤代には、知らせていなかったのだ。

ほかに誰もいない理科室で、一月からワンクール放送していた、深夜に近い時間帯のテレビドラマの話をした。ふだん映画にしか出ない俳優と女優が主演をしているコメディで、本筋と関係ないセリフやアドリブやディテールがものすごくおかしかったので、欠かさず見ていた。あれを見てるヤツが同じクラスにいるなんて、少しうれしかった。

そうだ、藤代はちょっとだけ、そのドラマに脇役で出ていた女優に似ている。似てるって、言われたことない？　と聞いたら、すごくウケて、その話になったんだった——。

「柳井！　もう整列してンぞ。なに、ぼっとしてんだ！」

小松先生が、ピッと笛を鳴らした。

「すんません。男子校から来たばっかなんで」

思わず、そんなセリフが口をついて出て、ハズしたかと思ったが、爆笑された。

小松先生も、渡辺も小宮山も、みんな笑っている。ほんとうは喜んでもいい場面なのに、心の中がざわついた。

その日は家に帰っても、藤代美緒のことばかり考えた。

「公立中サバイバル・マニュアル」

六、いじめには加担しないが、いじめられっ子とは距離を置く。

同じく七、近づきすぎる相手とは、距離を置く。

マニュアルを見つめていたら、音を立てて母が階段を上ってきた。

「いやだ、さとるちゃん、ごはんは七時だから、かっきりに食べに来てって言ってるでしょう」

ちゃん、やめて。

このところ、しつこいくらい言っていたその言葉も、出てこなかった。

残念だけれど、藤代美緒にはあまり近づかないことになるだろう。食事をしながら、さとるは考えた。あいつ、そんなに、人に嫌われそうな性格には見えないけど。でも、あの体育のときの様子は、ふつうじゃなかった。けっこう女子って、残酷。

それからの一ヵ月ほどは、平穏に過ぎていった。

小宮山はあいかわらずだったが、さとるのほうが、できるだけ素っ気なくしているので、クラスの中でも、あいつらはべつに仲がいいわけじゃない、と認知されたようだった。

体育の授業でウケをとって以来、「女子が気になってしょうがない、男子校から来た柳井」というキャラが受け入れられたらしく、「女子ネタ」でからかわれることが多くなった。

「制服が夏服になると、ブラ透けて見えるから、柳井ヤバくね?」みたいな感じのものだ。そういうのは、あまり大きなリアクションではなく、ぼそっと「マジ? 鼻血出そ」とか対応しておけば、たいてい笑ってもらえた。

藤代美緒と、再び二人だけで話す機会が訪れたのは、五月の連休も過ぎて、それこそ夏服までもうあと少しというころだった。

必修クラブがいつもより十分も前に終わって解散になり、教室に帰ろうとうろうろしていると、立て看板や割れた薬玉《くすだま》や、演劇部の大道具みたいなものが雑多に詰め込まれている空き教室を見つけた。

クラスへ戻っても、まだ人がいない時間だったので、ふらりと入ってみたその教室の、たこ焼きの屋台のような妙なボックスの中に、彼女はぽつんと座っていた。

あれみたいだな、と、さとるは思った。なんだっけ、スヌーピーの漫画に出てくる、ルーシーの精神分析小屋。

目が合ったので、

「チャーリー・ブラウンの友達の女みたい」

と言うと、

「ルーシー？」

と答えて、藤代が一重の目をさらに細くして笑った。こんなネタが通じるとは思わなかったので、さとるは気をよくした。

「部活は？」

「さぼった」

「なんで？」

「かったるい」

「すげえ。勇気ある。なに部だっけ？」

「リコーダー部」

「いっしょじゃん！」

さとるは、後ろ手に持っていたリコーダーを出した。

「ほんとだ。なんでリコーダーにしたの？」

藤代が聞くので、

「いちばんラクそうだったから」

と答えると、

「選んだ理由もいっしょじゃん！」

そう言って、藤代は口の片側をゆがめるようにして笑う。やっぱり、似てる。

「やっぱ、似てる。カネイエに」

カネイエ、というのは、例のテレビドラマの脇役の、役名だ。

「うれしくないよ」

藤代はまた笑うのだが、その照れたみたいな笑顔は、ちょっといい感じだった。

チャイムが鳴って少ししてから、二人は空き教室を出て歩き始めた。しかし、二年の教室が並ぶ二階の廊下まで来ると、姑息《こそく》なさとるは立ち止まって、なにかを探すフリをした。

二人いっしょに教室に入る姿を、ほかの連中に見られたくなかったのだ。

藤代は数歩前を歩いていく。きっちり二本に分けた長い髪を耳の下でそれぞれまとめた藤代は背が高く痩《や》せていて、あまり胸が大きくないから、セーラー服の襟元がこころもち後ろへ引っ張られて落ち、襟足がのぞける。

うりざね顔というのは、ああいう顔つきなんだろうか、細面で色白の、すっきりした顔立ちの藤代は、きっと夏の浴衣《ゆかた》なんか似合うだろうなと、さとるは思った。

その日は、家に帰ると、インターネットで、三月に終了したテレビドラマの番組宣伝ホームページにアクセスして、カネイエ役の女優の写真を確認し、

「やっぱ、似てるわ」

と、つぶやいたりした。

だから翌日、学校へ行って、下校間際にクラスで彼女のことが話題になったときは、驚きを通り越して、脳天を割られたような思いがしたのだった。

ことの発端は、木村緑《きむらみどり》という女子が、女子更衣室で携帯電話を失くしたと言い出したことに始まった。桃中は携帯禁止なので、持ってきた人間が悪いと言われることを見越して、木村も表ざたにはできないらしかった。

必修クラブのバドミントン部で活動中、足を捻挫《ねんざ》した木村は、保健室へ行ってから、一人更衣室に行った。そこで、友達からのメールにこっそり返信を打った後、着替え、教室に戻ったのだが、クラスのみんなが帰ってきてから、携帯を更衣室に忘れたことに気づき、取って返したのに、もうなかったとかいう話だった。

更衣室に置いてきたのは間違いないのだから、誰かが盗んだのだと言って木村が泣き出して、その後、「緑がかわいそう」とか言いながら、女子の半数が泣き始めた。

さとるは仰天した。そういう、集団ヒステリーを目撃したことがなかったのだ。

そのうち、さとるがまだ名前をよく覚えていない女子の一人が、「藤代じゃない？」と、ひそひそ声で言い始め、その声は、さざなみのように女子の間に、それから男子にも広がっていき、ついにリコーダー部にいた、縦笛の似合わない横広がりの顔をした名前のわからない女が、「藤代、昨日、リコーダー部、さぼったし」と、言った。

うわー、やな女、と、さとるは思ったが、いま、この話の輪に入ってはまずい、という自制が働いて沈黙した。

「てーか、ぜってー藤代でしょ」と、男子の一人が言い、「藤代以外、ありえねー」と、また別の男子が言い、「きたねーよな、藤代」と、さらにほかの男子が言った。

さとるには、展開が速すぎて、なにが起こったのか、まったく呑みこめなかった。

だから、最初の時点では、保身だけを考えていたわけではなく、自分がひょっとしたら彼女の窮地を救えるかもしれないなんてことは、思いつかなかったのだ。

藤代は真っ青な顔をして、黙ってこの種の会話を聞いていたが、耐えられなくなったのか、カバンを手に取って、足早に教室を出て行った。

「返しなさいよっ」

と、背中に罵声《ばせい》を浴びせた女もいた。この女の名前も、さとるはまだ覚えていない。返すもなにも。なんの証拠もないというのに。

そこまで考えてから、さとるは、弾《はじ》かれたように身を起こした。

証拠というより、アリバイがある。

木村の話では、彼女が更衣室を出たのは、「チャイムが鳴る五、六分前」で、大急ぎで取りに戻ったのは、「チャイムが鳴って、十分くらいしてから」なのだそうだ。その間、十五分ほど、さとるは藤代美緒のすべての行動を把握している。

藤代のわけ、ないじゃないか。俺はずっと、いっしょにいたぞ。

そう思って、眼球をぐりぐり動かしながら、唾《つば》を呑みこむものの、祖父・緋田龍太郎から隔世遺伝した事なかれ主義が、この中学二年生をがんじがらめにし、さらに猿知恵でまとめあげた「公立中サバイバル・マニュアル」の六番目の条項が、頭を空回りさせる。
六、いじめには加担しないが、いじめられっ子とは距離を置く。

これは、加担か。これは、加担なのか。それとも、距離を置く、なのか。カタン、カタン、カタン、カタン、キョリ、キョリ、キョリ、キョリ。因数分解は解けるのに、この簡単な図式が、柳井さとるには解けない。人間、解く力があるかよりも、解きたいという思いがあるかのほうが、重要なのである。

さとるはじっと、目をつむった。

落ち着け、柳井さとる。よく考えるんだ。もし、いまここで、俺が藤代美緒のアリバイを証明すれば、どこでなにをしていたか、言わされることになる。空き教室で、二人でいたことをしゃべれば、どんな尾ひれがついてくるかわからない。かといって嘘もつけない。藤代が口裏を合わせる保証も、必要もないからだ。よし、では仮に、俺がなにも言わないと、どうなるか。

ここで、柳井さとるは、頭を少しだけ、ずるくゆがめた。

木村はことを表ざたにしないのだから、藤代が教師に問いただされることも、罰を受けることもない。みんな、その場のノリで言っているだけで、証拠もないのだし、本気で信じているわけではないとも考えられる。だいいち、明日になれば、女子トイレかどこか、別の場所から、ひょっこり携帯が出てこないとも限らない。そうすれば、みんな、藤代に悪いことをしたと思うんじゃないか。

なにも俺がこの場で、自分の身を危うくしてまで、藤代美緒の潔白を証明してやることもない。藤代だって、俺と二人っきりでいたなんてことをみんなに知られて、からかわれたり、噂されたりするリスクを負わなくて済むじゃあないか。

最後の「藤代だって」のあたりなどは、よくまあここまで、優秀なはずの頭脳を捻《ね》じ曲げて使ったなと言ってやりたくなるような、保身とおためごかしがセットになった、お寒い思考だったが、ようやく自分のとるべき態度が決まって、さとるは閉じていた目を開いた。

教室にはもはや、誰もいなかった。

翌日になっても、木村緑の携帯は、どこからも発見されなかった。

クラスの連中は、そのことをとくに話題にはしなかった。藤代犯人説は、あまりにも恣意的《しいてき》だったから、みんなそれなりに反省して、口にするのはやめたんだろうと、さとるは解釈することにした。

いずれにしても、後味のいい話じゃなかったし、ある意味、木村も気の毒だったが、校則違反はまずいだろう。案外、見回りの教師が、見つけて没収したのかもしれないしな。

そう、考えはしたものの、胸にひっかかるものは取れない。

藤代は、ことさらつんけんするようなこともなかったけれど、さとるのほうが後ろめたさでいっぱいだったので、たまに教室で目が合ったり、廊下ですれ違ったり、ほかに誰もいない場所で二人になるきっかけがあったりしても、意識的に目を逸らし、接触を避けた。

冬服が夏服に変わり、クラスメイトの名前をほとんど覚えても、さとると藤代の溝が埋まることはなかった。

藤代は、あいかわらず、ときどきリコーダー部をさぼり、部だけではなく、あきらかに来たくないから来ていないのだと思われる、断続的な登校拒否をしていた。

そして、入梅の便りを聞こうというころに、藤代美緒は、練馬区に引越していった。

藤代の転校は、唐突で、みんなが知ったのは最終日の二日前だった。その日も彼女は休みだった。

担任の野々原先生は、困った顔をして、

「家庭の事情で急にお引越しが決まったそうですが、あなたがたはクラスメイトとして、藤代さんに最後になにができるか、よく考えて」

と、言った。

この教師は、なにをどこまで知っているのかなあと、さとるはぼんやり考えた。

野々原先生は、自腹で買ったらしい大判のカードに、「さようなら藤代美緒さん　新しい学校でもしっかりね！　2の3担任・野々原満智子」と書き込み、クラス委員の田中という女子に渡した。みんなで寄せ書きをするように、という指示だった。

カードはクラス中をのろのろ回り、藤代が最後の挨拶をしに学校にくるという日になって、さとるのところにもやってきた。

「あのときは、勇気がなくてごめんなさい」と書こうか、「藤代と話して楽しかった」と書こうか、それとも野々原先生のような、当たり障りのないことを書くべきか、二日前からさとるは悩みっぱなしだった。

そんなカードではなくて、きちんと手紙かなにかを書くべきではないかという思いも胸に湧いた。しかし、もちろん、それが実行できる性格のさとるではない。

「元気でがんばってください」

それしか、自分に書けることはない。そう観念して、カードを開いたさとるの目には、次々に異様な言葉が飛び込んできた。

「練馬へ行ったら泥棒はやめましょう」「逃げたつもりかい?」「嘘つきは月に帰れ」「はっきり言います。いなくなってくれてうれしい」「顔が不幸そう」……

息を呑み、あわててカードを閉じて目を上げると、さとるの正面に、能面のような顔をした藤代美緒が立っている。

藤代は、一瞬にして、さとるの手の下からカードを抜き取ると、中を見もしないで、ビリビリとそれを引き裂いた。

それからはっきりと、さとるに向かって、

「ざけんな」

と、言った。

その日、ほかになにがあったのか、さとるはまったく覚えていない。どうやって、家にたどり着いたかも、記憶していない。

食事も摂らずに二階の部屋にこもり、呆然とした。

待って。待って。藤代、俺、俺、俺は、俺、俺は。

そうして、柳井さとるは一晩中、藤代美緒のことだけを考え続けた。

一睡もできなかった。

最初に彼女が話しかけてきた日のことから、教室の隅で窓の外を見ているときの仕草、二人で交わした会話の一言一句、口の片側だけをゆがませて笑うときのいたずらっぽい顔つき、廊下を歩いていくときの頼りなげな後ろ姿、最後に「ざけんな」と言ったときの彼女の表情まで、何度も、何度も、繰り返し、さとるは思い出した。

東の空がぼうっと明るくなろうという時刻になって、ようやく、さとるは、藤代美緒のことが好きだったと、自分自身に全面自供した。そして、自分かわいさから、かたくなにそれを認めずにいたことを、恥じた。

彼は立ち上がり、とりあえず、部屋のドアに一発、頭突きをくらわせた。

それから、祖父が駅前の囲碁サロンへ行くときに使っている自転車を押して、家を出た。

そして、カラスと猫と新聞配達くらいしかすれ違わない住宅街の朝をそのママチャリで全力疾走し、桃中の登校範囲と思われる、あらゆる場所にそれを駆り立てた。

早稲田通りを越えて、妙冠寺へ。古米《こまい》橋を渡り、五小の脇を抜け、有働《うどう》文房具店の前を横切り、欅森《けやきもり》公園を突っ切って、桃川八幡の境内を回り込み、セブン‐イレブンとピーコックのある駅前の通りを走り、踏切を渡って山村小児科のまわりをぐるぐる回り、新青梅《しんおうめ》街道と千川《せんかわ》通りをまたいで、ガソリンスタンドとサイゼリヤの間の道を疾駆し、中井草カソリック教会のある、畑の先の大通りのそのまた向こうへも行った。

どこかに引越しトラックがいるかもしれないから。

そこに藤代がいるかもしれないから。

そうしたら、たったひと言、自分がどんなにバカだったたか、話すことができるから。

けっして赦《ゆる》してもらえないにしても。

環八《かんぱち》を渡り、星洋《せいよう》学園のグラウンド裏まで行って引き返し、桃川児童公園の前で自転車を降り、肩で息をしながら座り込んだ。汗のつぶが、顔面を覆《おお》った。

その日、さとるは、初めて学校を休んだ。

いったいなにがあったのかと、母親は半狂乱になったが、なにかあったんだろう、ほっといてやれ、一日くらい休ませてやれよと、求職中で家にいる父は、言った。

翌日は、いつものように制服に着替えて、さとるは学校へ向かった。

校門を過ぎると、小宮山敦が駆け寄ってきた。

「柳井くん、おはよう！　昨日はどうしたの？　俺、家に電話……」

小宮山がしまいまで言い終わらないうちに、さとるはおもむろに向き直り、この、小太りで眼鏡をかけた級友のぽっちゃりした肩に手をかけた。

「小宮山！」

肩をつかんだ右手にぎゅっと力を入れて、それだけ言うと、さとるは眉間にしわを寄せ、祈るような耐えるような表情をし、万感の思いを左手にこめて拳を握りしめ、岩のごとく黙り込んで動かなくなった。

小宮山、俺は。俺はずっと、おまえに。小宮山、俺は、おまえ、おまえに対しても。

俺、俺。小宮山、小宮山、小宮山！

始業の鐘が鳴る。

生徒たちが校舎に吸い込まれていく。

「柳井、くん？」

小宮山は、難しい問題にでもぶちあたったみたいに、寸詰まり気味の太い首をひねった。

ほーら、そこ、なにしてる？　早く教室に入って。

二階の窓を開けて、そう呼ぶ野々原先生の、間延びした声が耳に響いてきた。

アンファン・テリブル

息子が学校へ行かなかった。

早朝から自転車を走らせて汗だくになって帰宅し、その後は部屋に閉じこもって一歩も外へ出てこなかった。

原因はあれかもしれないと、心あたりがないではない。けれど、柳井逸子はそのことを夫の聡介に言えないでいる。

もう一週間以上前のことだ。求職中の夫が重い腰を上げて人に会いに行き、珍しく飲んで帰ると連絡があった日、逸子は息子のさとると二人だけで夕食をとった。

夫の事業がうまくいっていたころ、あるいはもう潰れる寸前のころも、息子と二人きりの食事は多かったものだが、実家の離れに引越してきてからは、毎日、朝も晩も三人で食べているし、ときには母屋に住んでいる両親や妹、祖母までがいっしょという日もあるから、さとると二人だけの食卓は、なんだかぎこちなかった。

ぎこちないと思ったのは、自分のほうだけで、さとるはなんとも思っていなかったかもしれない。ただ、逸子のほうは、こんな状況は久しぶりだと思うせいか、妙にしみじみ息子を見てしまって、あらまたこの子、背が伸びた、と思ったりした。

「開蔵に、外村《とむら》っていたんだけどさ」

汁物をすする合間に、さとるがそう言った。

「クラスの子？　映研の子？」

「どっちでもない。それはどうでもいいんだけど、昨日、家に電話かけてきてさ、外村も学校、やめるんだって」

「あら、どうして？」

「なんか、外村のお父さんも、いろいろあって、会社、辞めることになっちゃって、それでとかっつってたけどね。葛城《かつらぎ》男衾《おぶすま》国際教育学園に転校するんだって」

「まあ。それ、どこにあるの？」

「なんか、埼玉の奥のほうらしい」

淡々とした口調でさとるは言って、ごはんとおかずをかきこみ、テレビに視線を移した。バラエティ番組が、間の抜けた笑いを響かせていた。

「俺、びっくりしちゃったのはさ。外村、めちゃくちゃムキになってて、『キミのお父さんは、キミが将来、負け組になることについて、どう思っているの？』って言うんだよ。あれには、びっくりした」

もう一回、汁物を口に運び、ごくんと飲みこんだ後で、前歯にひっついた海苔かなにかを外したいのか、さとるは口を閉じたまま鼻の下を舌の先で膨らませ、なにやら類人猿めいた顔つきをして、しばらく沈黙した。それから、

「ごっそうさま」

と、ぼそぼそつぶやき、そのままテレビを見ている。

息子のことが、わからなくなるのは、こういうときである。

キミのお父さんは、キミが将来、負け組になることについて、どう思っているの？

外村くんなる息子の友人のひと言は、ほとんどそのまま太い棒状に固まって、逸子の脳天を殴打するような衝撃を与えた。そして、それはそっくり息子の頭をも直撃したのに違いないと思うのだが、さとるはやはり前歯あたりが気になるらしくて、あいかわらず類人猿顔をしたりひっこめたりを繰り返し、テレビのリモコンをこらえ性なくいじるばかりで、なにかを深く考えているようには、まるで見えないのだった。

逸子の頭の中を、外村くんという少年が口にしたという、人をジャンケンの結果で二つに分けたみたいな、なんとも不愉快で強烈な表現が旋回した。

息子は薄っぺらい内容のバラエティ番組を見つめ、時折口を開けて笑っている。

ややあって、逸子は決意して口を開いた。

「さとるちゃん、パパは、そんなふうに思ってないよ。私もそんなことぜったい思わな

い」

唐突に話しかけられたのをいぶかしむように、さとるは眉間にしわを寄せてキッチンカウンターの母を仰ぎ見、

「なんの話?」

と、言う。

「え?」

逸子は言葉を呑みこむ。さっきの話の続きとは思っていないらしい息子に向かって、話を蒸し返すのもどうかと思われたからだ。

「そろそろ、俺、あっち行くわ。おやすみなさい」

息子は母の答えを待とうともせずに、あくびをしながら立ち上がった。

この家に移ってきてから、離れが狭いという理由で、さとるは母屋二階の一室を借りて寝起きしているのだが、そのせいもあるのか、年齢的なことなのか、とみに親子の会話が減ってしまった。

息子を呼び止めてきちんと話をしなかったという未消化感のためだろうか、あれから何日経っても、逸子の頭には、外村くんのセリフがこびりついて離れなかった。だから、息子が登校拒否を起こしたとき、まっさきに思い浮かんだのも、その言葉だった。

あのとき、息子はわざと、なんでもない振りをしたのではないか。故意に、話題を切

り上げてしまったのではないか。

それが今回の、不登校につながるのではないか。公立、やっぱり合わないんじゃないだろうか。

問いただそうにも息子は部屋に閉じこもってしまったし、こればかりは夫に相談するのもためらわれた。

逸子は二駅先の町にあるパン屋でパートをしているので、九時過ぎには仕事に向かわなければならない。さとるの様子がおかしいので、電話を入れてお昼からの出勤に替えてもらったが、それでも、ランチタイムのかきいれどきには間に合うように来てくれと言われ、胃の腑《ふ》をちぎられるような気持ちで出かけていき、勤務中も上の空で過ごし、五時過ぎに帰宅しても、ずっと部屋にいたらしい息子の様子を見て、心労のために倒れそうになった。

翌日以降は、さとるもしぶしぶ学校へ行っているけれど、なんだか表情に精彩を欠いている。実際、あの子の顔つきが暗く、どこか思い悩んでいるようなのは、ここしばらくずっとだった気もしてきた。

よくよく考えてみれば、転校してからこっち、息子がほんとうにリラックスして笑った顔を、見ていないようにも思える。もっと言えば、この家に引越してきてからというもの、さとるの様子はおかしいことずくめだ。

やはり、学校を変わったのが、さとるの気持ちに影を落としているのか。新しい生活に慣れることができないでいるのだろうか。退学することになってから、ほとんど開蔵中のことを話したことがなかった。思えばあの、外村くんの電話のことを話したときが、初めてだったのではないだろうか。

あのときのなにも考えていないような顔。あれは、わざと、考えていないように見せるための顔ではなかったか。なんというのだったかしら、こういうの。ポーカーフェイス？

困ったことに息子は、ポーカーが得意でもあった。

時間が経てば経つほど、あの日のことが強く蘇《よみがえ》ってきて、逸子の胸を圧迫した。パート先でも、ついぼーっとしてしまい、他人にどうしたのときかれる始末だ。

二時を回ると、客足がぱったり止むので、パン屋で店番をしながらレジカウンターにひじをあずけ、組み合わせた両手の上にあごを載せて、つい考え事をしてしまう。

自分は、とんでもない間違いを犯したのかもしれない。

せっかく入った私立中学を、退学させるなんて。夫の判断に従って、公立中学に転校させてしまったのは、失敗だったのでは。

もうそれは考え尽くしたことだと、夫は言うだろう。自己破産を選択し、実家に引越しを決める以上に、考え抜いた結論だった。さとるの学費を、実家の父に肩代わりして

くれるよう頼むつもりだと切り出したときに、夫の聡介は内臓から絞り出すような声で、

「俺は、それは、もう、できない」

と、言ったのだった。

父の緋田龍太郎には、潰れてしまった会社のために、何度かお金を都合してもらっていたし、結局こうして、家賃も払わずに一家して転がり込むことにもなった。聡介の実家には資産はないし、年取ったお義母《かあ》さんが義姉夫婦と暮らしているので、なんの援助も期待できなかった。あの義姉《ねえ》さん、うちはダメ、うちはダメよと、電話口でまるで振り込め詐欺を断るみたいに言ったっけ。逸子はせいいっぱい夫を助けたつもりだけれど、聡介は負担に感じているのだろうか。

あのときもっと、がんばるべきだった、と逸子は唇を嚙んだ。

だって、息子の将来のことなんだもの。夫婦二人のことだったら、見栄や意地や誇りを優先したっていいけど、さとるのことは、親が守らなくてどうするのよ。あの子、そろそろヒゲも生えてきそうだけど、中身は、どこかまだ子どもっぽいから、自分でも自分の本当にしたいことを、はっきり意識化して口に出すことができないだけかもしれない。親なら、母親なら、察するべきでは？

〈TANUMA BAKERY〉という赤いアルファベットの文字が、こちらからは鏡文字になって見える店のガラス窓に、逸子の情けない顔が映った。

キミのお父さんは、キミが将来、負け組になることについて、どう思っているの？　なんというおそろしいフレーズ。

「なるかもしれない」じゃなくて、「なる」って、断定してる。これがいまどきの常識？　いわゆる、なんというの、格差社会というやつ？

「名門中学に入れば人生に勝てる！」「将来のために、いまここで負けるわけにはいかない」。さとるが小学生のとき通っていた塾でさんざん聞かされたフレーズを、外村くんの言葉が鮮明に思い出させた。

なんとかして続けるわけにはいかないの？　そう、開蔵中でいっしょだったママ友達の何人かにも言われた。いまどきの公立は、怖くて行かせられない、という人もいた。あのときは言われるのが苦痛だった。ギリギリの選択だったんだもの。

「俺だってママだって公立育ちだしさ、公立、悪いばっかじゃないって。さとるが大学進学するまでにあと五年あるだろ、それまでには、俺がなんとかする。あいつ一人大学へやるくらい、俺がもう一度なんとかする」

パパ、たしかそう言った。もしかしたらそんなパパの意地が、さとるちゃんの将来をめちゃくちゃにしちゃうかも。

パパの気持ちは痛いくらいわかる。なにもかも失って、酷《ひど》い目に遭って、それでも立ち直ろうとしてくれるのは、息子一人くらい俺の力でなんとかしてやるって、そういう気持ちが支えになっているのだ。それなのに、お父さんに頼みましょうとは、私の口からは、絶対言えない。あの人、ギリギリなんだもの。私が緊張の糸をぶちんと切っちゃうようなことはできない。でも、それじゃあ、さとるちゃんはどうなるの？

逸子はさとるが開蔵中に入学を決めた日の情景を思い浮かべた。やった！　と大声を出して飛びついてきた小学校六年生のさとるは、まだちっちゃくてかわいかった。思えば息子があんなふうに素直に気持ちをさらけ出したことは、あれ以来ないかもしれない——。

「メロンパンねースかあ？」

唐突に声が聞こえて、逸子が顔を上げると、都立朱鷺《とき》が丘《おか》高校の制服を着た男子生徒が三人、店の中に入ってきていた。

ないわよ、見ればわかるじゃない、と思った逸子は、つっけんどんに、

「売り切れです」

と、言った。

「げー、だっせー、メロンパンねーじゃん」

一人が言う。メロンパンが売り切れていることが、なぜ「野暮」を連想させる「ださい」で表現されなければならないのか。逸子はむしょうに腹が立ってきた。

「ちげーよ。メロンパンつったら、〈あかねパン〉じゃね？」

「あっこ、とおいいじゃん」

わざわざ〈田沼ベーカリー〉に来て、駅の向こう側のメロンパン人気店〈あかねパン〉のことなんか言うことないのに。「ちげーよ」も、いや。伝統的に江戸弁の「えー」は「あい」が転じているのだから、「ちげーねー」は正解でも、ただの「ちげー」は聞いてて気持ち悪いの。だいいち「遠い」の発音は「とおいい」じゃなくて、「とおい」ですよ、「い」が一個多いよ。それに、なによ、いま、授業中じゃないの?

逸子はたいへんいらついた。

メロンパンを所望していた人物は、あきらめたのか適当に売れ残りのパンをトレイに盛って、千円札とともにレジに突き出し、後の二人は、声を揃《そろ》えて、

「あざーっス」

と言った。金を払った男のおごり、ということなのだろう。

なんなのよ、「あざーっス」って。「ありがとうございます」くらい、きちんと言えないの?

思わず逸子は若者たちを睨み付けそうになった。

いやだ、私、なにいらいらしているんだろう。これってもしかして、都立高に対する偏見?

朱鷺が丘は、逸子より十歳年下の、弟の克郎が高校受験のころにできた新設校だ。地

元ではそんなに悪くない高校と聞くけれど、そのわりには生徒に品がないような気がしてならない。もちろん、こんなとき逸子は、自分が都立高校の生徒だったころには、いまでは恥ずかしくて口にも出せない妙な言葉遣いをし、すきがあればパン屋や駅前のたこ焼き屋に出没していたことなどは、すっかり忘却している。

パートが引け、私鉄の電車に揺られて帰路についても、逸子の思考は同じところをまわり続ける。

親が子どもにしてやれることってなんだろう。

さとる、おじいちゃんちの近くの桃中に転校になるけど、いいか。そう夫が言ったとき、息子がどんな表情を見せたのか、記憶をたどってもたどっても明白には思い出せないことを、逸子は悔やみ、自らを責める。なぜもっと、あの子に注意を払わなかったろう。あのときの自分は「母」であるより一家の「主婦」として、いかに家計の舵《かじ》をとるかしか考えていなかった。

さとるはたぶん、なにも言わずにうなずいたはずだ。そういう子だもの。どうしてだろう、自分の気持ちより、人の思惑を察してしまう癖があの子にはある。親が子どもにしてやれることって――。

ぼんやりと、いつもの駅で降りようとしたとき、扉の真上に貼り付けられた一枚の車内広告が鮮烈に逸子の目を射抜いた。

「輝く未来にキックオフ～『勝ち』をつかめ！　葛城男衾国際教育学園」

どこかで聞いた名前。どこでだったろう。そうだ、開蔵中を退学した外村くんという子が転校していく先だ！

逸子はうっかりそのまま降りるのを忘れ、「輝く未来」に釘付けになった。

「葛城男衾国際教育学園　スーパー特進クラス開設!!　一般入試結果３００点中２５０点以上取得者の精鋭クラス。週６日制実施で年間３００時間アップ。早朝７時50分からの『０時限』授業あり。入学金、授業料、施設設備費、維持費を全額免除。東大、京大、国立大医学部現役合格者に報奨金（授業料全額支給）給付制度」

西へ五駅ほど乗り過ごしたあたりで、逸子は、はっと我に返り、なじみのない駅で降りて、上り電車に乗り換えるために階段を上る。

入学金、授業料、施設設備費、維持費を全額免除。報奨金給付制度。

そういう学校があると、小耳にはさんだことがないわけではなかった。

でも、会社が潰れたころは、夫婦ともどもいっぱいいっぱいで、そこまで息子の転校先について調べが行き届かなかったのは、不覚だった。スーパー特進クラス。マンガみたいな響きのクラスだけど、さとるの学力なら行けるんじゃないだろうか。

逸子は、こんどはトコトコ階段を下りて、上りのホームに向かった。そして、青いベンチに腰をおろした。心臓が少し、速く打った。

あのとき、もしかして、さとるちゃんは、ここを受けてみたいと思っていたのじゃないだろうか。口に出して、言わなかったけど、もしかしたら、そう。外村くんなんて、初めて聞く名前だった。それにひどく唐突な話題だった。なんのために、あの子は、あの日、あの話をしたのだろう。

逸子の心の中で、点と点が線を結んだような気がした。

さとるちゃん、転校のことで、ずっとナーバスになってたし、新しい学校に行き始めてから、緊張がとれないみたいだった。きっと心配させまいとして、なにも話さなかったんだろう。でも、外村くんの電話で、なにか変わったのよ。

上唇の内側に舌先を突っこんで、鼻の下を膨らませたりひっこめたりしていたあの顔を、なにも考えてない猿めいた顔だなどと、どうして思ったんだろう。あれこそ、言いたいことを言い出しかねて逡巡《しゅんじゅん》していた証拠ではないか。

今日は、あの子を捕まえて、ちゃんと話そう。パパの前では聞きにくいから、ごはんの後、母屋のあの子の部屋に行って聞いてみよう。開蔵をやめなければならなかったことを、さとるがいまも悩んでいるなんて、パパに知らせるのは心が痛む。でも、あの子の将来のことだもの。もし、さとるが、本気で葛城男衾……男衾教育……なんとか学園に行きたいと思っているなら、あの人だって反対するわけがない。

ともかくさとるの意思を確かめて。そして、それがものすごく固いってわかったら、そのときは、私。

電車に乗り、いつもの駅で降りて駅前のスーパーに寄り、今日は夕食の献立作りに無駄に力を使うべきでないという思いから、三パックセットで安売りをしていた宇都宮餃子《ぎょうざ》を買って帰宅する道すがら、逸子の眉間はどんどん険しさを増していった。

夕食は、聡介、逸子、さとるの三人が揃ってとったが、男二人の目はつけっぱなしになっているテレビの画面に向けられていて、家族の会話はなく、静かなものだった。

「ごっそうさま」

ぶつぶつつぶやいて、さとるが母屋へ引き上げていく。

洗い物を急いですますと、夕刊を広げているスウェット姿の夫の背に一瞥《いちべつ》をくれて、

「ちょっと、お母さんとこに行ってくるわね」

と声をかけ、逸子は母屋に向かった。

二階に上がって、部屋のドアをノックすると、中からさとるの気の抜けた声がして、めんどくさそうにドアを開けた息子の顔つきは、やはりちっとも明るくはなかった。

「なに?」

さとるは母親を見た。

「さとるちゃん、おぶ、男衾教育葛城学園のことだけど」

「はあ?」

　さとるは鼻の片側にしわを寄せ、目をあらぬ方向に動かした。

「だから、あの、外村くんが行く、埼玉にある、男衾国際葛城学園のことだけど」

「葛城男衾国際教育学園でしょ」

「あなたが真剣なら、私からパパに話すわよ」

「なにが？」

「スーパー特進クラスでしょ」

「だから、なにが？」

「行きたいんじゃない？」

「誰が？」

「誰がって、あなたがに決まってるじゃないの」

「俺？」

「そうよ！」

「ぜんっぜん、行きたくない」

　早く帰れよと言わんばかりのうっとうしそうな態度で、さとるはノブに手をかけ、ドアを揺らした。

「行きたくないの？」

「行きたくない」

「じゃあ、なんで、このごろ悩んでんのよ」

「べつに」

「パパには、私から話すから」

「なんで、俺が、秩父《ちちぶ》の山奥の学校に行きたがってるなんて思ったの？」

「ええ？　だって、スーパー特進クラスに行きたいんじゃないの？」

「なにそれ」

「難関大学進学クラスの子は、週六日制で、授業料免除なのよ」

「へえ」

「へえ、じゃなくて、真剣に考えてると思ったけど」

「なにを」

「だから、男袞のスーパー特進クラスだって、さっきから言ってるじゃない！」

「やだよ、そんなの。一部の成績のいいのだけ集めて、授業料免除なんてさ。あいつらだけなんでってことになって、ぜったい、いじめられると思うね。俺、ぜんぜんダメ。そういうの、まったく、興味なし。それに週六日制って、なに。冗談きついよ」

さとるが鼻先で手を振ってみせるので、逸子の腹には猛然と怒りがこみ上げてきた。

この数週間というもの、母は一人で悩み続けていたというのに、当事者の息子がそれを一笑に付すとはなにごと。

逸子はこれまでの私の煩悶《はんもん》はなんだったのよという思いに駆られる。じゃあなんで不必要に暗い顔してんのよとか、学校を休んだ理由はなんだったのよとか、息子に対して問いただしたいことや不満がぐるぐる臓腑をはいのぼってくる。だいいち、なんだろう、この子のやる気のなさは。

「なんなの、二言目には、いじめられないように、いじめられないようにって。それしか、考えることないの？　みっともない。もっと真剣に将来のこと考えなさいよ！」

逸子は我にもあらず、中二の息子を怒鳴りつけた。

我にもあらず、というのは、逸子が後にそう回想したことであって、本来、緋田家の長女は気の強い女で、この人がぶちきれると怖いということは、家族全員がよく知っていることではあった。しかし、なにしろ夫の聡介の状況が状況だけに、ここ一年ほどは気を遣いっ放しで、思う存分怒鳴るようなこともなかったのが災いしたのか、溜めこんでいたものをここぞとばかりに噴出させた逸子は、瞬時にそれを後悔する羽目にもなった。

息子の顔が、こんどこそ、深く、深く傷ついたように、ゆがんだからだ。

さきほどまでのふざけた口調やわざとらしい表情が一瞬にして消え去り、息子はまとわりつかせていたヴェールを剝《は》ぎ取られたみたいに無防備になった。そしてなにかが、逸子の口にしたなにかが、彼の心臓の柔らかい場所を、まっすぐ貫き、その動きを止めてしまったかのようだった。

母子はほんの数秒、胆《きも》が冷えるような視線を交わした。

そして息子は静かにドアを閉め、鍵をかけた。

息子のことが、わからなくなるのは、こういうときである。

逸子は、力なく階段を下り、母屋のリビングのソファにどさりと座り込んだ。

「あら、逸ちゃん、どうしたの」

緋田春子が珍しいものを見たような顔をして近づいてくる。

ねえ、お母さん、私、さとるのことがよくわからない。

逸子は切々と、実母に窮状を訴え、春子は長女にお茶を淹《い》れてやりながら、黙って話を聞いた。

すべてを聞き終わると、春子はなにか決意するように、自ら淹れた緑茶をずいと喉に流しこみ、姿勢を正して、

「逸ちゃん、あなたも覚悟しておいたほうがいいわ」

と、言った。

「覚悟?」

「さとるにも、緋田家の血が流れているということですよ」

春子がとんでもない方向に話を持っていくので、落ちこんでもいられず逸子は目を瞠《みは》

る。

「お父さんがそうじゃないの。あの人だって、若いときはそれなりに優秀で、大学に残らないかとすら言われたのに、逃げ出すみたいにしてうろうろしてたところを後輩の岡本さんに声かけてもらって、ようやく歯科クリニック出せたけど、共同経営って言ったって、ほとんど岡本さんにおんぶにだっこだったんだもの」

「緋田家の、血？」

「なんの、話？」

「緋田家の男は、みんな、そう。意志というものが、とてつもなく弱いの。道が二叉《ふたまた》に岐《わか》れて、安易な道と困難な道があったら、かならず安易な道を選択するの。水が低きに流れるように、すーっと流れていってしまうの」

「さとるちゃんが？」

「あなたには、これから、まだまだ、耐えなくちゃならないことがあると思うわ。あなた、まだ、いいほうよ。私が、あれに、どれだけ……」

そう言って言葉を切り、春子が視線を向けた先には、庭に面した窓があるきりで、すでに雨戸が閉《た》てられ、カーテンが引かれていた。だから、その方向が庭の物置でひきこもり生活を送っている弟の克郎を指すとわかるのに、逸子は少し、手間取った。

「おや、逸子さん、珍しいねえ」

なんにも知らない当主の緋田龍太郎がリビングに参入し、春子は溜め息を一つついて、夫のためにお茶を淹れるべく立ち上がった。

「なに？　なんだか、困ったことでもある？」

龍太郎は、逸子に機嫌のいい顔を向けた。

この父にいまの話はできない。

そう、判断した逸子は、当たり障りのない範囲内で、さとるのことを話した。

「中学生の男の子の考えてることなんか、わかんないわ」

「そりゃあ、そうだよ。難しい年齢だからね。恐るべき子どもたち、か。アンファン・テリブルというやつだ」

毒にも薬にもならないことを龍太郎は言い、

「だけど、いいじゃないか。都立のどこが悪いんだ。昔はまともな高校は、みんな都立や県立だったんだ。ボクはギリギリ新制中学で間に合わなかったクチだからね。憧れたなあ、一中、一高！」

と、続けたので、逸子の怒りはまたまた爆発する。

「いったい、いつの話をしてるの、お父さん」

「だから、あれだよ。終戦直後」

「お父さんの常識は六十年古いのよっ！」

娘がえらい剣幕なので、怖くなった龍太郎は、大急ぎで腰を上げて書斎に逃げ込むことにする。

母の春子から、「さとるちゃんのお弁当にぴったり」の揚げ物をタッパーに分けてもらい、なんだかひどく疲れて勝手口を出ると、斜向《はす》かいの家庭菜園の脇の電信柱の下で、人目もかまわず抱擁を交わす男女が目に入った。

やだやだ、このごろの人ってば、こんな住宅街で。

鼻白む思いで通りすぎようとすると、じゃあねとかなんとかいう声がして、足音がこちらに駆け寄る気配がする。

「いーっちゃん！」

なんと、身重の妹が、しかもアルコールのにおいをさせて近づいてくる。

「友ちゃん、あんた、お酒、入ってるの？」

「飲んでない、飲んでない。飲んだとは言えない量しか飲んでない」

逸子の頭に、どいつもこいつも、という思いが巡った。

「いまの、誰？」

「しんごくん」

「それって、前に言ってた、うるうる……」

「うるうるしんごだよ」

妹のお腹の子どもの父親は、離婚したばかりの和仁ではなくて、十四歳年下の駆け出し芸人・うるうるしんごだ、と聞かされたのも、ひと月ばかり前のことだった。

「あんたたち、復活したの?」

「ていうか、あいつが東京に来ちゃったらしいのよ」

いやだわ、という感覚が、逸子の背中にぴっと走った。なんだろう、五つ年下のこの妹は、もう三十も半ばだというのに、独身に戻った解放感からか、若い娘のような振舞いをする。それも、無思慮でしているんじゃなくて、わざとしているみたいな似合わなさがあって、逸子を不快にさせる。

「友ちゃん、なんで結婚しないの?」

「へ?」

「確かに、彼が若くて不安かもしれないけど、そうやって会ってるんだから、ちゃんと結婚して二人で子どもを育てたほうがいいと思う」

「なに、言っちゃってんの、逸ちゃん。無理、無理、無理。相手、芸人だもん」

「なにが無理なのよ。赤ちゃんのこと、ちゃんと話したの?」

「ね、どうしたのよ、逸ちゃん、急に。なに、怒ってんのよ」

「話してないんでしょ」

「話すとか、話さないとかじゃなくて、今日は、しんごが東京に出てきちゃったからっていうことで、ちょっと会っちゃったから、そういうことは……。それに、逸ちゃんにはわかんないと思うけど、二十一歳の売れない芸人なんて、自分のことしか考えてないし」

「なに言ってんのよ、男なんて、みんなそうよ。そこを、考えさせんのよ」

と、逸子は凄《すご》んだ。

「ねえ、逸ちゃん、今日、どうかしたの？　なにか、あったの？」

「友ちゃん、ちょっと無責任」

「え？」

「子どもはどうやって、育てるつもり？」

「だけど、あたし、稼げるしぃ、お母さんも元気だし、逸ちゃんもほら、子ども好きじゃん」

友恵がおもねるような笑顔を向ける。

「お母さんは、お祖母ちゃんの世話もあるし、克郎もあんなだし、いろいろたいへんなの」

「それは、わかってるけど」

「私だって、もう、むちゃくちゃたいへんで頭いっぱいよ」

「わかったよ。じゃあ、頼まないよ」

「そうやって、ふてくされて解決することじゃないでしょう」

「ふてて、ないけど」

「あんたは稼げるとか言うけど、会社員じゃないんだから、育児休業制度とかもないし、保育園だって入りにくいし、ダンナにしっかりしてもらわなかったら、子育てなんか、できないじゃん。非現実的だよ。子どもはいつまでも赤ちゃんじゃないんだよ。学校にだって行くんだよ。そういうこと、あんた、なんにも考えてないでしょ」

「まだ、学校は、早くないかア?」

久しぶりの飲酒でタガがゆるみ、場の空気を完全に読み違えている友恵が、尻上がりに語尾を引っ張って、腹を撫でながら笑う。

「まだじゃないっ!」

逸子が友恵を一喝《いっかつ》する声が、夕餉《ゆうげ》の香りを漂わせる夜の住宅街を、裂いた。

時をかける老婆

今年は青い実がたくさんついている。枝切った次の年は実がつかなくて、その次の年はいっぱい生《な》るんだよと、最初に教えてくれたのは、あれは母だったろうか——。

南向きの廊下に置いた肘掛け椅子《ひじかけいす》に腰をかけて、庭の柿の木を眺めていたら、庭にいた女が近づいてきて、

「おはよ」

と、言った。

「あんた、チャコチャンかい？」

そうタケが訊くと、

「チャコチャンじゃないわよ。友恵よ」

女は困ったように笑った。

「なーんだ、友恵ちゃんかい。そうだと思った！」

タケはそう答える。また何か間違えたようだった。

「今朝ねえ、ちょっと、動いた気がするの」

そう言って、女は廊下に膝立ちになり、タケの手を取って、自分の腹に押し当て、笑った。タケも笑った。ああ、この女はお腹に子どもがいるのだ、とタケは思った。

このごろ、この家は賑《にぎ》やかになった。まるで、あのころのようだ。チャコチャンがいて、おじいさんとイシ叔母さんがいて、イシ叔母さんとこの猛《たける》が小学生で、春子がまだ小さくて。

「おばあちゃん！」

今度は耳元で誰かが大きな声を出した。

タケは憮然として声の主を見上げる。

「今日よ、おばあちゃん。そろそろ着替えたら？　調査の人、来ちゃうから。わかってるでしょ？　いいとこ見せようとしないでよ。おばあちゃん」

春子がそう念を押す。いやだね。私がボケたと思って、何度も何度も同じことを。春子も少し、ボケてきたんじゃないだろうか。

「『要介護1』になるか、『要支援2』になるかの、瀬戸際なのよ。おばあちゃんてば。聞いてる？」

そんなに、がなりたてるように言わなくとも、わかっている。

吉野《よしの》タケは、ぼんやりと娘の春子の顔を見つめ、一拍置いてから、

「ああ」

と、答えた。

「ヨウシエンニって、何？」

孫の友恵が、横から口を挟む。

「よくぞ訊いてくれたわ、友ちゃん。私は福祉の老人いじめにほんとうに怒っているの」

春子は髪の毛を逆立てんばかりの勢いである。

「老人、いじめ？」

「今年から介護認定が六段階から七段階になったのよ。なぜだと思う？　いままで『要介護1』だった人を、『要介護1』と、『要支援2』に分けて、『要支援2』の人には、給付額を、うんと減らそうって、腹なのよ。まったく小ずるいったらありゃしない。あなた、おばあちゃん、いくつだと思ってる？」

「九十一？　二？」

「九十二ですよ！　そのおばあちゃんが、『要支援2』なんかに認定されて、『予防医療』だのなんだのって、筋トレばっかりやらされて、たまるもんですか！」

「筋トレ？」

「要するに、給付対象者を足切りして、軽い人には、筋トレさせて、できるだけ長いこと、給付対象にならないでもらおうって制度にしたわけですよ、行政は」

「それが、おばあちゃんが『いいとこ見せる』のと、どう関係するの？」

「おばあちゃんがいいとこ見せたがって、この年でかくしゃくとしてるとか思われちゃったら、『要支援2』になっちゃうじゃないの！　六万円も違うのよ」

春子が、鼻息荒く答えた。

タケは、肘掛け椅子を春子に支えてもらって、脇に置いてあった補助杖を取り、立ち上がって自室に引っ込んだ。

タケはこの年になっても、たいていのことは、自分でできる。たしかにボタンを留めるのはちょっと手が震えるのでおっくうだが、春子が服にマジックテープを縫い付けてくれたのだ。

だから、部屋に戻り、できるだけ地味なブラウスを選んで、それを着た。そして、鏡の前に行き、入念に白髪をぺったりとなでつけ、今日ばかりはいっそのこと入れ歯も外してしまおうかと思ったが、さすがにそこまでするとわざとらしいのでやめる。

そして、籐製《とうせい》の回転椅子に座って、テレビを見始めた。この時間だと、だいたい画面に四人くらい並んでいて、一人が字ばかり書いてある紙芝居のようなものを並べて何かを説明している。べつだんそんなものがおもしろいというわけでもないが、なにかしているような感じになるから、タケはテレビが気に入っている。

薬と水を持って現れた春子が、

「あらま、おばあちゃん、そんなぼろを着て。お気に入りの赤いのはどうしたの？」

と、訊く。

なにを言っているのだろう、この娘は。あの赤いブラウスを着たら、この私は八十代の若さに見えるではないか。春子に迷惑かけないように、わざとばばくさいのを着ているのに。親の心子知らずというやつだ。

訪問調査の人は、午後になってやってきた。

この調査に答えるコツは、「できる」と言わずに「できない」と言うことである。たとえば、「自宅の便器でなら一人で排便できます」と言わずに、「自宅の便器以外では、一人で排便は難しい」と言う。「補助杖を使えば歩けます」じゃなくて、「補助杖を使わないと、歩けない。使って、やっとやっとです」と言う。「つかまれば起きられますか？」と聞かれたら、「つかまらないと起きられない。起きるとき、背中が痛い」と訴えるのである。

これは、介護保険導入以来、研究に研究を重ねている春子とタケが、相談の上に編み出した訪問調査対策で、二人はこれが功を奏していると信じていた。

日常動作に関する質問の後、担当の調査員が訊ねる。

「それじゃあ、タケさん、ちょっとやってみてください。一個百五十円のりんごを三つ買ったら、いくらになりますか?」

「四百五十円」

なるべく悲しそうな、老人らしい表情と声で答える。

「それじゃあ、千円出して、それを買ったら、お釣りはいくらですか?」

続けて訊くから、タケは少し考えてしまう。

「——わかりません」

小さな声で答えると、相手は、うーん、と少し唸《うな》って、

「引き算のとき、ちょっと、混乱しちゃうんですかね」

と、結論を出した。

調査員が引き上げると、春子がにじり寄ってきて、

「おばあちゃん、引き算が弱くなっちゃったね」

と言った。

なにを言うか、この娘は。

「千引く四百五十だろ。そんなものは五百五十円だよ」

「あら、おばあちゃん、わかってたの」

ふん、とタケは鼻を鳴らす。なんだい、やんなっちゃう。人がボケたと思ってさ。大《だい》
連《れん》でハラショやってた私が、そんなものを間違えるかい。

そう、胸の内で囁《ささや》いたとたん、タケの記憶は大連に帰っていき、あのとき、チャコチャンとおじいさんと三人でたいへんだった、ほんとに、といった回想ばかりが頭を巡り出す。

「春子、あんたなんかちっちゃかったから、覚えてないだろうねえ。私とチャコチャンとおじいさんとで、大連でさ。あんた知らないだろ、ハラショなんて」

「知ってるわよ」

即座に春子は言う。ちっともおもしろくなさそうな表情で。

「ハラショって何？」

いつのまにか傍に来ていた女が訊ねる。ええと、この子は誰だったっけ。えい、誰でもいいや。

「ハラショってのはね、ロシヤ語で『いいもんだよ！』っていう意味でね、大連にいたときにさ、着物やなんかを、街頭に出て、『ハラショ、ハラショ』って言って、売るわけさ」

「大道芸みたいなもん？」

「大道芸？　違うよ。商売だよ。そうじゃなきゃ、食えないじゃないか」

なんだかわからない、という顔をして、隣で首をひねっている女は、誰かに似ている。

「あんた、チャコチャン？」

「チャコチャンじゃないってば。友恵だってば」

「ああ、そうだと思ってた」

そう言って調子を合わせてから、タケは向こうへ歩いていく友恵の姿を見送る。

まだあまり目立ってはいないが、歩き方を見ればわかる。あの女のお腹には、子どもがいるのだ——。


名演技が功を奏したか、はたまたボケが進行したか、介護認定は「要介護2」となり、家族を複雑な心境に陥れた。そんなある日、午前中に散歩に連れ出してくれるヘルパーさんといっしょに、タケが家へ向かう下り坂をゆっくりゆっくり下りていたら、めかしこんだ春子と龍太郎に、すれ違った。

「今日は、娘がぜんぶやってくれることになってますので、いつもの時間にお帰りになってくださいね」

春子は、傍《かたわ》らのヘルパーさんに声をかけ、タケには、

「それじゃ、おばあちゃん、行ってきますね」

と、言った。

「はい、行ってらっしゃい」

機嫌よくタケは娘を送り出した。なんだかわからないけれど、行くというからにはど

こかへでかけるのであろう、とタケは考えた。本人はさほど気づいていないが、春から飲み始めた精神安定剤が合ったのか、たいていタケは機嫌がいいのだった。

ヘルパーさんは平坦な道まで来ると、ややタケを急がせるようにして、家に戻った。そして、タケを自室の籐椅子に座らせると、「すぐ戻って来ますからね」という言葉を残して庭へ出たようだった。

補助杖をついて、タケは庭に面した廊下に出て行き、お気に入りの肘掛け椅子に腰をかける。この椅子の脚の裏側には、滑り止めにゴムが貼りつけてある。

青い実がたくさん生っている、とタケは思った。枝切った翌年は実が生らなくて、その次の年には実がつくと、教えてくれたのは、たしか、母だった。

庭に、つっかけを履いた女が出て行った。男は女から紙包みを受け取る。

あれはチャコチャンだろうか。だけども、チャコチャンと旦那さんは、引き揚げてきて板橋へ行ってから出会って結婚したんだから、大連にいるわけがない。最初の旦那さんには旅順《りよじゆん》にいたころに召集が来てしまい、大連で、タケやイシ叔母さんといっしょに暮らしたことはない。しかも戦死だったので、会ったこともない。見たのは写真だけ。だから、あれは違う男だ。誰？　王さんかな。

好き勝手に回想をめぐらしていたら、庭の女が気づいて振り返り、ぱたぱたと駆け寄ってくる。

「タケさん、お庭に出てみますか?」

うううん、とタケは首を振る。今日はもうじゅうぶん歩いたので、お水が欲しいんだけど。

「いますぐ、お持ちしますからね」

この娘はとてもやさしい。年のころは、まだ二十五かそこらだろう。ふっくらした手で、プラスチックのコップにお水を汲んできてくれる。

「ミナガワさん、時間オーバーしてませんか?」

いつのまにか二階から下りてきた孫の友恵が、困ったように言う。

「いいえ、もう失礼しますから」

「ごめんなさい、私、仕事してたもんで、うっかりしちゃって。後は、やりますから」

「そうですか。じゃ、連絡帳だけ書いたら」

友恵は、タケの耳元で、「ごめん、おばあちゃん。すぐお昼にするね」と言って、いなくなる。

あの子はお腹に子どもがいるに違いない、とタケは思う。

まだ、あまり目立たないけれど、歩き方でわかる。

ややあって、友恵が迎えにやってきて、二人で友恵の作った七分粥を囲んだ。

「お父さんとお母さんが出かけちゃうとさ、さとるちゃんは学校だし、逸ちゃんはパン屋のパートだし、聡介さんは職探しだし、克郎は庭で閉じこもりっきりだし、なんだかいっぱいいるようで、人、いないねえ、この家」

「あら。春子はどこ行った？」

「うん？　だからさ、お父さんの同窓会のおつきあいで、鎌倉の料理屋さんだってさ、言ってたじゃない、昨日から、何度も」

タケは、それには答えない。

「庭にね」

と、唐突にタケは言う。

「柿の木があるだろ。実がいっぱいついてるね。枝切った翌年は、実をつけないんだ」

「ああ、それで翌々年は、いっぱい実がつくんでしょ？」

「あんた、よく、そんなこと知ってるね」

「知ってるっていうか、おばあちゃんから、百回くらい、聞いてるからね」

タケはちょっと、おもしろくない。なんだい、それじゃまるで私が、ボケたみたいじゃないか。

「柿の木は、どこにあったの？　大連にいたとき？」

友恵は、タケの機嫌を取るように話題を振るけれど、

「大連じゃないよ、内地！　私の生まれた家ですよ！」

とうぜんではないか、ほらみろ、この娘はなんにも知らないんだから、くらいの勢いで、タケは叫ぶ。耳が悪いので、若干、声が大きくなる。

それからまた、タケはとくに脈絡もなく、おもむろに友恵のほうへ、小鉢に入れられた温泉卵を押しやる。

「あれ？　なに、おばあちゃん、卵嫌いだった？」

タケは目をつぶってゆらゆらと左右に首を振り、

「滋養！」

と、大きな声で言った。しばらくキョトンとしていた友恵は、口の中で、ジヨウ、ジヨウ、と何回かつぶやいて、やっと意味が取れたように笑った。

「あら、おばあちゃん、やさしいね。私にくれるの？　これ」

「そう」

「ありがと！　だけど、こっちにもあるからさ、あんまり食べるとコレステロール値高くなっちゃうから。おばあちゃん、食べて」

「だいじにしなくちゃ」

タケは目をいっぱいに見開いて、ヘッヘッへーと笑った。つられて友恵も笑い出し、

「じゃ、ま、今日だけ、いっか」

と言って、ぺろりと温泉卵を喉に流し込んだ。

「おばあちゃんに話すのも、なんなんだけどさ、まあ、聞き流してよ」

卵を飲み込み、腹を撫でると、友恵は話し出した。

「逸ちゃんは、早く、話せって言うのね。わかってるけど、結果が見えてるから、嫌なわけよ。だって、しんご、二十一だもん。自分の将来、考えるのでせいいっぱいでしょ。だいいち、あのときの子どもだなんて、私だって信じられないくらいだしさ。あいつも悪人じゃないから、聞いちゃえば悩むと思うんだよね。悩んだ挙句に、まあ、別れようみたいなことに、なるでしょう、結局。この年で授かった命だから、産む以外、考えられなくて、私が悪いんだけど、自分ひとりで引き受けるつもりで決めちゃったの。あの後、会う気なんかなかったから、知らせる気もなかったわけよ、最初は。だけど、なんでだかこっちに出て来ちゃったからね。つい、ほら、会っちゃったしさ。来月くらいになれば、もっと目立ってくるよ。そうしたら、嘘つくわけにもねえ、いかないならさ。早く言ったほうがいいでしょ。でも、日に日に、あいつ、知らないほうが幸せなんじゃないの、とか思っちゃったりしてさ。お父さん、いまだに和仁の子だと思ってるし。お母さんが言うなって、言うからだけど。まあ、そっちはどうでもいいんだけど。とにかく、現実がどんどん、せり出してきちゃって、収拾つかないっていうか。どうにでもなれっていうか」

タケは眉間に皺《しわ》を寄せ、うん、うん、と嚙みしめるようにうなずいた。深刻な話のようだと感じられた。

それで、春子は、どこへ行ったんだったかしら。

「春子はどこ行ったんだっけ?」

と訊くと、目の前の女は、

「鎌倉。ごはん食べてくるんだって」

力なく笑った。

それから、タケは、自室に戻った。いつも、昼食の後は昼寝をするのである。

「なにかあったら、上にいるから呼んでね」

孫娘は言う。なに、なんてものは、ありはしないのだけれど。

足の先が冷たいから、寝床へ入っても、そうすぐには眠れない。廊下と部屋を仕切る障子は、日中は開けっ放しにしておいて、寝ながらも庭が見られるようにしている。

今朝、そこにチャコチャンがいたような気がしたせいか、うつらうつらする頭の中に、大連の家の、中庭に立つチャコチャンが見える。

チャコチャンはおじいさんの妹で、旅順の印刷所に勤めていた旦那を兵隊に取られて一人だったから、敗戦がわかってからほんとに怖い思いをして大連にやってきて、それから一年ちょっと、いっしょに暮らした。

チャコチャンは誰にも言わなかったけど、わかってた。

歩き方を見れば、わかる。

王さんはとってもやさしい人で、あの人がいなかったら、ぜったいに生きて日本には帰れなかった。みんな王さんが好きだった。チャコチャンは若くて、きれいで、それなのにいちばん気の毒だったから、王さんは余計に、なにかしてやらないではいられなかったんだろう。王さんには足を向けて寝られない。あの人がいなかったら、誰も生きて帰れなかっただろう。おじいさんも、イシ叔母さんも、猛も、チャコチャンも、私も。だから、みんな黙ってた。歩き方を見れば、わかったけれど。

チャコチャンの子どもは結局生まれてこなかったが、生まれたって育つような状況じゃなかった。子どもがずいぶん死んだんだもの。熱病やら疫痢《えきり》やら。

春子だって、どうかすると危なかった。

春子——。

「春子?」

答えがない。もう一度呼んでみる。

「春子!」

ベッドの脇の呼び鈴に手をかける。

すると、春子に似た女が下りてきて、

「おばあちゃん、春子に呼んだ?」

と言った。

「そりゃ、友ちゃんにはどっちにしてもうれしい話じゃないかもしれないけど、男のほうにも決断する権利と義務があるんだから」

食事の席で、孫の逸子が言った。

「一時の過《あやま》ちで、気の毒にねえ、しんご」

孫の友恵が言った。

「私、友ちゃんの、そういう言い方、嫌い。相手のこと、思いやってるようで、すごくバカにしてる感じがするの」

「どういう意味？」

「二十一だろうとなんだろうと、事実を受け止める度量のある人間はいるわよ」

「逸ちゃんみたいに、男はみんな横並びに、いい仕事について、家庭を持って、責任ある夫や父親になっていこうと思っているって、信じてる人はそれでもいいわよ」

「どういう意味？」

「私はそうじゃない人をいっぱい知ってるの。見てるの。私は一人で育てる覚悟ができてるんだし、それならわざわざしんごに、負い目を感じさせるようなこと、しなくてもいいんじゃないかと思うのよ」

「友ちゃん、私のこと、世間知らずみたいに言うけど、続いていくと思ったふつうの人生だって、一気に崩れんのよ。それを私が知らないとは言わせないわよ」

「ママ……」

小さな声で、男が口を挟んだ。

やれ、この人は誰だっただろう。チャコの旦那。ではなくて、春子の旦那。ではなくて、ええ、もう、誰でもいいや。

「ごっそうさま」

そう言って、猛が立ち上がった。

「さとるちゃん、向こうへ帰る？」

おや、どうやら猛ではないようだ。

「じゃあ、おじいちゃんとおばあちゃんが帰ってきたら、タケおばあちゃんはこっちにいますって、言ってくれる？　もうそろそろ、帰ってくる時間だと思うから」

「わかった」

そう言って、さとるは母屋へ引き上げて行った。

「ねえ、ところで克郎って、ごはん、どうしてるの？」

逸子が話題を変える。

「わかんない。見たことないし。でも、鍵持ってるから、夜中に入ってきて、こっそり残り物食べたりしてるんじゃないかと思う。お母さん、あれで案外、克郎には甘いから、レトルト食品とか菓子パンとか、どう見てもお父さんが食べないようなもの、買い置きして冷蔵庫の上に置いたりしてるもん」

「へえ」

「それから、ヘンなのは、克郎、ごみを物置の外に出すじゃない？　あれにときどき、マックの包み紙とか、入ってんのよね」

「マックって、マクドナルド？」

「そう。いつ買いに行ってんだろ。外歩いてるの、見たことないけどね」

「春子は、どこへ行ったの？」

おもむろにタケは口を開いた。

「だーかーらー、鎌倉にごはん食べに行ったんだって」

春子は、あのころ、まだ小さかった。

かわいそうに、栄養が足りないから、いつまでも小さくて、大人の小指と薬指を握るのが、やっとやっとだった。

春子はどこへ行ってしまったんだろう。

「春子は、どこへ行ったの？」

「もう、帰ってくるはずよ」

握り締めていた小さな手が、離れた。

後ろを振り返る。

春子。

違う。これは、春子じゃない。

春子は、どこへ行ったんだろう――。

「おばあちゃん、どうかした?」

という、声が聞こえた。

「おばあちゃん、寒いの?」

「ん?　熱でも出たかな」

乾いた手が、額を覆う。

「熱じゃないみたい。おばあちゃん、お部屋へ帰りますか?」

「私はこれを言おうかどうしようか、考えてしまうよ」

ややあって、タケは少し重たい口調で話し始めた。

「だけども、あんたたちにも関係のあることだからね、今日は、春子がいないから、話します」

「どうしたの、おばあちゃん。急に。改まって」

「このことは、春子には内緒だよ。私は、ぜったいに知らせたくない」

「わかった。お母さんには言わないわよ」

と、逸子が友恵の目を見ながら答える。

「手を繋《つな》いで歩いていたんだけど、春子の手が離れてしまったの。でも、すぐにまた小さな手が私の手をつかまえたんで、後ろを振り返ったんだよ。そしたら、そこに、春子がいなかった」

孫娘たちが、困ったように顔を見合わせる。

「みんなで歩いてたんだよ。引き揚げの、ときにね。私は春子の手を握って、春子の前を歩いていたんだけど、途中で手が離れてしまったの。でも、すぐにまた小さな手が私の手をつかまえたんだ。それで、後ろを振り返ったんだよ。そしたら、その子は、春子じゃなかったんだよ」

聞いていた者たちが、息を呑む音が聞こえた。

「あれっきり、春子は、どこに行っちゃったんだろう」

静寂が、食卓を支配した。

私の、春子――。


「ただいま」

離れのドアが開き、春子が顔を出した。

食卓にいた四人が、無言でドアのほうを見た。

「あら、なに？　どうしたの？」

春子は、かまくらカスターいっぱい買っちゃった、と言いながら紙袋をかざして笑ったが、食卓の面々は、小さな声で、おかえりなさいを言うのがせいぜいだった。

「おや、春子、出かけてたのかい。ずいぶん、遅くまでお楽しみですね。私のことなんか、ほっぽってさ」

「あらいやだ、おばあちゃん、なに言ってんの。五時からお食事急いで食べて、おばあちゃんが寝る前にと思って、超特急で戻ってきたのよ。それだって、もうここ、何年もやってなかったことじゃないの。意地悪ね」

九十二歳と六十六歳の母娘は、なにごともなかったかのように、いつものやりとりを続ける。

「なに？　あなたたち、なんでみんなして、ヘンな顔してるの？」

春子は不思議そうな顔をした。

「いや、いま、おばあちゃんが……」

「逸ちゃん！」

と、友恵が、

「逸子！」

と、逸子の夫が、

「だけど……」

と、逸子が言い、

「私が手を引いてたんだけどさ、あんとき、おまえ、手を離したろ」

最後にタケがそう言ったので、食卓の三人は老婆を凝視した。

「ああ、あの話なの」

春子はそう言って、上着とスカーフを取り、食卓の空いた椅子にかけた。

「あの話って、お母さん、知ってるの?」

「もう、五万回くらい、聞いてるもの」

そう言うと、春子は椅子に座り込み、逸ちゃん、悪いけど、お茶一杯いただける?

と言った。

「私、すぐにおばあちゃんを見つけて、いっしょに帰ってきたじゃないのよ」

「ほえ、そうだったかね」

「そうよ」

「ああ、よかった」

タケは何度も胸をなでおろし、食卓の三人は複雑な顔つきになった。

「お母さん、その話はほんとうなの?」

「さあ、私も小さかったから、よく覚えてないんだけどね」

ええほんとうよ、という答えが続くとばかり思っていた娘たちは、阿呆のように口を開けた。

「その話を最初に聞いたのは、かれこれ五十年も前よ。最初はね、『あのとき、すぐ、春子が見つかったから、いっしょに帰ってきたけど、ちょっとだけ手を繋いでいたあの女の子はどうしただろうと思うと、いまも夢に見てうなされる』って話だったのよ」

「はあ」

「中国残留孤児の話がテレビに出はじめたころなんか、しょっちゅう言ってたわよ。それがどうも年のせいで、『春子はどこへ行っちゃったんだろう』になってきちゃって。十年くらい前から、こうなのよ」

「十年前から？」

「あんまり言うもんだから、私も気になっちゃって。あのころ、お父さんの歯科医師会のツテで、DNA鑑定、してもらったこともある」

「DNA鑑定？」

「お父さんは、『おばあちゃんと春子さんは歯がそっくりだから、DNA鑑定しなくても実の親子に間違いない』って言ったんだけど」

「歯が、そっくり？」

「お父さん、おばあちゃんの入れ歯作ってるから。だけど、私も歯だけじゃどうかと思って、意地になって鑑定してもらったわよ。そしたら、親子だって」

春子は逸子が淹れたお茶を飲み、ついでにみやげのかまくらカスターも一つ取り上げてパッケージを剝《む》いた。春子の好物なのだった。

「そりゃあね、六十何年もいっしょにいて、こんなにお世話もしてるのに、いまさら『おまえは本当の娘じゃないかもしれない』と言われたときはショックだったわよ。だけど、完全にそう思い込んでるわけでもなくて、ときどきこんがらかるだけだし、掛値なしに五万回はその話聞かされてる私が、この人の娘じゃなくて、誰の娘なのよねえ」

そう言いながら、悠然とかまくらカスターをほおばる春子の横で、タケは眠くなったのか目をしょぼつかせ、首をユラユラさせた。

さあ、おばあちゃんは寝る時間、と春子は言って、離れの玄関まで持ってきていた車椅子にタケを乗せた。

離れからタケの部屋までは、庭を横切って、取り外しのできるスロープを南の廊下に立てかけて、一気に車椅子を押し上げる。

外はもう暗かったから、見えなかったけれど、風が渡って梢《こずえ》を震わせ、葉がさわさわと音を立てたので、タケは自分が柿の木の下を通っているとわかった。

半分眠りそうになりながら、タケは考える。

柿の木見ると、チャコチャン思い出すんだ。

チャコは大陸から帰った年に、二度目の亭主といっしょになって、その次の年に双子を産んだのだ。

ねえ、春子、今年どうして柿の木がいっぱい生ったか、知ってるかい？

そう声をかけようとして、眠くなったタケは大あくびをし、なにを言おうとしたのか、なにを考えていたのか、さっぱり忘れて、また夢の世界に入っていった。

ネガティブ・インディケータ

東側にドアを持つ物置には、庭に面して小さな窓が一つある。

窓枠に嵌《は》められているのは、視界をぼんやりとさえぎる効果のある、カスミ硝子《ガラス》、というものだったので、なにかをくっきりと見ることはできない。

それでも、部屋のほぼ中央にある椅子をくるりと回転させ、肘を真後ろの机につき、足を窓際のカラーボックスに投げ上げた姿勢をとると、硝子窓の向こうに、人が動く気配を感じることができた。

気配、カスミ。

緋田家の長男、克郎にとって、長いこと家族は、そうしたものであり続けている。

それでも毎日見ているから、硝子を通した、うすぼんやりした影のようなものから、彼は物置の前を横切る人物をきちんと特定することができた。

たったいま、母屋から出てきて、目の前を通過し、離れの平屋に入っていったのは、甥《おい》のさとるだ。

長姉の一人息子である、気の小さそうな中学生を、血がつながっているからといって、ことさらかわいいとも思わない。

けれども、克郎が母屋二階の自分の部屋を出て、物置に居を移した理由は、あきらかにこの甥にあった。そしてそんなことは、家族の誰一人知らない。

あれは年が明けたばかりで、季節は冬だった。

次姉の友恵はまだ大阪から戻っていなかったので、いま彼女が使っている南側の部屋はまるで倉庫のようだったが、その庭に面した窓から、克郎は甥が物置に向かって走っていく姿を目撃したのだ。自室を出てトイレに入ろうとしたところで、さとるの絶叫を耳にし、なにごとかと思って窓から庭を見下ろすと、哀れな甥は両手に荷物を抱えて物置に飛び込んでいった。そして、そこから、出てこなくなった。

克郎がさとるに部屋の交換を提案したのは、それからしばらくして、そろそろ桜の季節になるかというころだった。

だから、両親の寝室が一階から移り、姉の友恵も出戻って、二階が満室になった息苦しさから出て行ったのだと、誰もが思っている。

それが、克郎を移転させるファクターの一つだったことを、否定する必要もないだろう。

けれど、ほんとうのところは、あの日、窓から眺めた甥の姿が、長い、長い時間、同じ部屋に閉じこもり続けていた三十男を動かしたのだった。

そして、この男が「動いた」という事実の重要性に、いつものことながら、家族の誰も、気づこうとはしなかった。

今朝、克郎の暮らす物置には、ネット注文したエアコンがようやく届いた。

冬中、電気ファンヒーターで乗り切ったが、さすがに夏はつらい。自分が我慢するだけなら、窓を開けて裸になっていることもできるけれど、蒸し風呂のような暑さは、電子機器には致命的だ。

六畳ほどのスペースを、エアコンは快適に冷やし始めた。久しぶりに人工的な清涼感を味わいつつ、カスミ硝子を通りすぎる甥の動きを目で追った克郎は、やや回顧的な気持ちになって、自分があの甥の年齢だったころを思い出す。

あのときすでに、いろいろなことは始まっていたのだろう。いまから考えると、たしかにそう思えてくる。

緋田龍太郎が新しい家を建て、一家揃って公団住宅から引越してきたとき、長男の克郎は十一歳だった。長女が二十一歳、次女が十六歳。

二階に住む予定の三きょうだいの部屋割りは、姉二人が南側の庭に面した二部屋、克郎に振り当てられたのは、北の玄関側で、もっとも狭く寒い空間だった。

家族会議が開かれたわけではないが、あったとしても同じことだった。天真爛漫《らんまん》な逸子と負けず嫌いの友恵が、張り合うようにして日当たりのいい場所をとったに違いない。

「克郎はあっちでいい？」

と聞かれれば、

「うん」

と答えただろう。たかが、部屋だ。とくに不自由を感じることもない。それこそ空調だって完備されていた。

それに、十一歳の克郎にとっては、習い性のようなものだった。

「克郎はいい？」

と聞かれたら、

「うん、いい」

と答える。聞かれなくても、

「うん、いい」

と思う。むしろ、聞かれないことなんか、考える必要もない。

克郎は家族の中でいつも、空気のように存在した。

もう少し明確に、克郎自身が家族の中の自分の位置を意識しだしたのは、中学生になってからだ。

緋田家では長女と証券マンの結婚騒ぎが持ち上がっていて、そんなのは横紙破りだと父親が怒っているのを、夜中に起きだした克郎は見た。

「逸子は歯医者と結婚して、クリニックを継ぐんじゃなかったのかね」

不機嫌な父は、母に向かってそう言った。

「もうこうなっちゃったんだから、クリニックは友恵に継いでもらったっていいし、なにもうちの子たちが継がなくたって、共同経営ったって岡本先生のほうが言いだしっぺなんだから、後のことはそっちで考えてもらって、あなたはお金だけのことにしといたら、かえって揉《も》めなくていいじゃありませんか」

母は父に向かってヒステリックにそう言い返していた。

克郎はそのとき、はっきり悟った。というよりも、改めて確認した。

この家では誰も、長男の克郎になにひとつ期待してはいないのだ。

克郎は、歯医者になるべく期待されたことなど、ただの一度もなかった。

だいいち、期待されても困った。克郎は三人のうちでもっとも学業成績が悪かった。

生まれ落ちた時点で、すでに克郎は存在感のない三番目だった。

おかしいではないかと、後になってちょっとだけ克郎も考えてみた。

自分は紛れもなく緋田家の長男だった。女が二人続いて、それから生まれてきた待望の男の子というやつであった。あるべきだった。あるはずだった。

ところがそうではなかった。

彼は常に、クリスマスの日に一人だけ家に忘れていかれる末の息子、『ホーム・アローン』のマコーレー・カルキンのような存在だった。置いてきぼりになる冒頭部分以外の、その後の大活躍はけっして克郎の身には起こらないことではあったが。

実際に忘れられそうになり、

「あんた、おとなしいから」

と言われることも何度となくあった。

緋田家の子どもは二人でじゅうぶんだったのだ。そんなふうに、ひがむ気持ちがなかったと言えば嘘になる。

姉二人が卒業した地元中学に克郎が入学した日、初老の国語教師が近づいてきて、

「珍しい苗字だけれど、君は緋田逸子・友恵姉妹の親戚筋か?」

と訊ねた。

「弟です」

そう答えると、そうかそうかとうなずきながら去っていったが、一学期の中間試験が終わると、この国語教師は絶望的な表情を浮かべて質問をした。

「君は、ほんとうに緋田逸子・友恵姉妹の弟か?」

克郎が、はいと答えると、教師はなんだか傷ついたみたいな顔をした。

アイスクリーム・チェーン（サーティワン）や、不動産チェーン（トゥエンティワン）みたいな点数のテストを丸めて鞄にしまいながら、ここでも誰かの期待にそわなかったことを、克郎は感じとった。

国語の教師はまだましだった。

中学校の卒業式の日、三年間学年主任だった数学の教師が近づいてきて、

「もしかして君は、緋田逸子・友恵姉妹の親戚筋か？」

と、不思議そうに訊ねたことも、脳裏に蘇ってきた。

「弟です」

克郎が答えると、教師はうろたえて、

「お母さんが来ていらっしゃるので、まさかとは思ったが、ほんとうに君は緋田姉妹の弟なのか？」

と虚をつかれたような顔を見せるのだった。

三年もその学校にいたのに、卒業式の日までなぜ気づかない？

聞くところによれば、逸子は毎年学級委員とリレーの選手に選ばれる人間で、友恵は成績は悪くないのに校則違反で悪目立ちするようなタイプだったらしい。いずれにしろ、「印象的で忘れられない生徒」だった姉たちに比べて、存在じたいがぬりかべのような克郎は、同じ苗字で同じ保護者を持っていてさえ「遠い親戚」程度にしか思えなかった

というのか。

なぜまたあんな、我の強い女たちの弟に生まれついたろう。

我が身の不幸の始まりは、あるいはそこにあるのかもしれない。

いつも、あのにぎやかな姉妹の声に、克郎の発する微かな物音はかき消された。

だから色気づく年齢になっても、克郎は女の子が苦手だった。中学三年間、母以外の女性と会話した記憶がない。高校に行くようになって、なにか変化があったとすれば、男子にも女子にも平等に口を利かなくなったことだったろうか。

けれど、誰を恨むことができただろう。

姉たちの威勢のよさが克郎への悪意でないことは自明だった。

克郎は家庭で虐待を受けたわけでも、ネグレクトされていたわけでもなかった。栄養は十分に与えられたし、愛情もそこそこ与えられた。あらかじめ失われていたのは、「親の過剰な期待」くらいで、それは、むしろ、ないほうが幸福だと言われるような代物だった。

自分がおとなしく、控えめで、運動能力も学校の成績もぱっとせず、二人の姉のような強い自己主張をしない性格に生まれついたことの責任を、誰にとってもらえばいいというのか。

のちのちになって、息子の様子がどうもおかしいと思い始めた緋田龍太郎は、

（あれは末の子どもで妻が甘やかしすぎたせいではないか）

と考えた。逆に妻の春子は、

（四十代に入った夫の仕事が忙しすぎて、子どもに無関心だったためではないか）

と考えた。

しかし、もの静かな長男は、誰のせいだとも考えなかった。

「克郎はそれでいいの？」

と聞かれれば、かならず、

「うん」

と答える彼は、そのかわり、ゆっくり、むっくり、太っていった。


太る、ということについて、克郎は考察してみたことがある。

自分はなぜ太ったのか。

第一義的には、それはふりかけのせいだった。

佐賀の『いかふりかけ』が彼の人生を変えたのだ。父方の伯母が送ってくる、このふりかけのインパクトは、三十年の食遍歴の中で、国民的スナック『うまい棒』をすら凌駕《りようが》した。『いかふりかけ』さえあれば、彼は他におかずがなくても、何杯でもおかわりをすることができた。それは、とりもなおさず、電子ジャーの中にごはんが入ってさえいれば、好きな時間に好きなだけ、飯を腹に入れられるという事実を示していた。

しかし、そういった物理的な要因ではなく、彼自身にもっとも切実に感じられたのは、傷つきやすい内面を、脂肪の重なりで防御するという感覚だった。

彼は、学校の成績が芳《かんば》しくないことにも、女の子にちっともモテないことにも、誰にも期待されないことにも、いることすら忘れられてしまうことにも、等しく傷ついていた。

けれども、それらはみな、誰のせいでもない、自分のせいだと感じられたので、できれば傷つきたくなかった。

傷つきさえしなければラクなのに、勝手に傷ついてしまう自分を、彼は恥じた。そして、できるだけそれを表に現さないようにしたいものだと思った。

誰のことも責めたくないのに、責めそうになる自分を、ひっそりと隠したかった。

一枚、一枚、なにかを重ね着するように、脂肪が彼の体を被《おお》い始めると、少しずつ痛みは鈍磨するように感じられた。

痛みが緩和する代わりに、体重が重くなると動く気力も減退した。そこで彼の最初の不登校は、体重増加と時期を同じくして、中学二年生で起こった。

あのときの感覚は、いまも時々蘇る。

ふいに何もかもが億劫《おっくう》になり、一日中部屋で寝転んでいた。

空調の室外機が回転する音が聞こえ、微動だにできないでいる自分自身の鼻から漏れる息が、顔の表面をくすぐるように渡る感触だけが、こころもとなくそこにあった。

余計なことを考えたくないなら、眠れ。眠ってしまえ、克郎。そうしてすべてを、脂肪の襞《ひだ》の下に眠らせてしまうんだ。眠れ。

そう命令する内心の声を聞きながら、目は閉じた瞼《まぶた》の内側のオレンジ色をした光の蠢《うごめ》きだけを追っていく。できるだけ呼吸音も小さく、小さく。体をなるべく、動かさないようにして。

そうしていると本当に自分自身が巨大な繭《まゆ》になったみたいで、扉を叩く人の声も遠く、現実感を失っていく。

あきらめた母親は、食事を扉の向こうに置いて行った。

幸か不幸か、九〇年代初頭は、不登校生徒は珍しい存在ではなくなっていた。八〇年代型いじめの嵐が止んで不登校の時代に入ったといわれていたころで、教師の目から見ると克郎などより「ずっと深刻」な不登校児がたくさんいて、学校はそれらの対応に追われていたのだった。だから、おとなしくて他に問題行動のない克郎の「さぼり」など、誰も気にかけなかった。

「来たくなったら来てください」

鷹揚《おうよう》だか無責任だかわからない担任の言葉を鵜呑《うの》みにして、ほったらかした緋田家の教育方針も、いまさらながらどうかと思われる。

そういうわけで中学は行ったり、行かなかったり。

その間、順調に脂肪を蓄えていき、高校に入る時分には、すっかり丸ぽちゃの克郎ができあがって、彼の思惑通り、めったなことでは傷ついたり動じたりしなくなり、親の小言も教師の助言も、友人のアドバイスめいたものもまったく耳に入らなくなっていた。

二人の姉はそれぞれ家を出て行き、彼だけが緋田家に残された子どもとなった。

克郎が部屋から一歩も出なくなったことに両親が気づいたのは、大学受験に失敗して浪人生活が二年目になろうとするころだったが、彼の中ではゆっくりと、その十年近く前からなにかが始まっていたのだ。

浪人時代のことは、いまさら思い出したくもない。

「受験に失敗して」は、両親が好んで口にした克郎の「状況」だったが、実際には入学試験など受けはしなかった。だから、「浪人時代」というのもおかしな表現になる。いったい、いつからいつまでが、自分の「浪人時代」なのか、とも思う。

克郎にしてみればそれは、ただ、出て行かなくなっただけのことだ。どこにも、出て行く理由がなくなってしまったのだ。

こもり始めた当初は、その「出て行かない」が、「出て行けない」にかわる瞬間が来ることを知らなかった。繭に包まれているつもりだったのに、気がついたら地下牢にいた感じ。そして、地下牢は嫌だけど、出たらそこは地獄、みたいな。いつのまにか、ドアの内と外では、まさに此岸《しがん》と彼岸《ひがん》の違いがあるくらいな、大仰なことになっていた。

たとえば外へ出るとしたら、と考えると、突然パニックが襲ってくる。

もし外へ出るならば、剃《そ》り残しのひげは何ミリくらいまで伸びていて許されるのか、といった疑問にとりつかれ、正解がわからず血が出るまでカミソリを当ててしまったりするのだ。そして、鮮血が首筋から数本だらだらと糸を引く姿を鏡で確認して、これではとても外は歩けまいと思う。

声も出ない。出なくなった。誰とも話さないうちに、出し方を忘れてしまって、音を発しようとするとひどく大きく聞こえる。なんでオレこんな声でけえのと、それが気になって、ますますしゃべれなくなった。

そして、こもり始めたころは自分を守ってくれるように感じられた静けさが、こんどは少しずつ侵食してきて、以前と同じに目をつぶって眠ろうとしても、襲ってくるのはオレンジ色の光でもなく、無の白さでもなくて、ただの闇になった。

脂肪の塊はいつのまにか克郎を守らなくなっていた。

それはむしろ、腐りだし、異臭を放つ膿《うみ》めいたものに変わっているように思えた。

どうしてそんなことになったのか。

という質問は、自分でも何度も発するのだけれども、明確な答えはない。それこそ、もうこうなると、親の育て方が悪かったとか、姉が強すぎたとかいうものが理由とは思えないのだ。

もっとも近いと思われるのは、「ひきこもった理由はひきこもったから」なのである。

ここまで回想して、克郎は目を細めて上を向き、さらさらと頬を撫でていくクーラーの風を堪能した。そして、机の引き出しから『うまい棒』コーンポタージュ味を取り出して、包装を破いて口にくわえ、

「すずっしいいいいい」

とひと言呟く。

あれから数年が経過した。あの気の毒な男は、克郎にとってもう過去のものだ。いまは、克郎の心理状態はずっと改善されている。

なぜなら、あっち側には永遠に行かないと、決めてしまったからだ。

いちばんつらかったのは、ここから出てあちら側へ行かなければならないと思いつめていた時期だった。こうしてみると、なぜそんなことを思ったかと不思議なくらいだ。

克郎はいまも、緋田家の敷地内を一歩も出ていないけれど、買い物も通販を頼れば、出る必要などどこにもない。金さえあれば、この世はなんとでもなるのである。

あっち側へは行かないと決めたのは、インターネット株を始めた時期にほぼ重なる。

思えばあれは、三十年の人生のうちの、一大転機だったかもしれない。

結局、大学入学はあきらめてしまったし、とうぜん就職は不可能だし、どこへも出かけずに稼げる方法はないかと考えて、ネット証券に口座を作ったのは、五年ほど前に遡《さかのぼ》る。

子どものころに親が作ってくれた銀行口座の、お年玉預金の残高五万円が、スタート時の資金だった。中国株から始めて研鑽《けんさん》を積み、自らの才覚で三十万に増やしたところで、自信をつけた克郎は、母親に出資を持ちかけた。一般の信用取引だと三％だが、増えたら一％利子をつけて返すから、七十万貸さないかと言ってみたのだ。

とうぜんのことながら、母の春子は仰天した。

けれども、できが悪い（と思っている）ゆえに不憫《ふびん》でかわいい息子の頼みを、無下《むげ》には断れず、

「泥棒に盗まれたと思って」

へそくりを捻出。一年後に利子の七千円が春子の銀行口座に振り込まれたときは、夢でも見ているのかと思ったらしい。

へそくりの件を公表するわけにもいかないから、これらはすべて龍太郎に内緒で行われたが、母は、

「このまま夢を見続けられるなら」

と、七十万はそのまま息子に長期で貸しつけ、ときどき七千円貰《もら》うことにした。

インターネットも知らなければ株もわからず、息子のしていることは徹頭徹尾理解できない、しかも克郎が説明してくれるでもなし、なにがどうなって七千円なんだか、まったくちんぷんかんぷんな春子は、

「悪事に手を染めているのではないかしら」

とか、

「どうしてどっこも出かけないのに銀行の振り込みができるの？」

といった、見当はずれな悩みを抱えて今日に至っている。

株を始めてわかったことの一つは、意外にも、彼が冒険を嫌う性格ではなかったということだった。「非常に」ではないが「ある程度」は、克郎はトレーダーとして大胆になることもできた。それはたいへんな発見だった。

どこへも行かないで、誰にも会わず、まったく口も利かずに、インターネットトレードを通じて克郎は、ストレートに自己主張する快感を味わった。

眠っていたなにかが、目を覚ましたようだった。

これはいけると、克郎は確信した。

ネットトレード初心者だったころは、母屋二階に三台のパソコンを置いて、日がな一日見入っていたものだけれど、現在はそんなことはしていない。

母は知らない手痛い失敗もした後では、月平均十万程度を稼ぎ出す以外は、デイトレーディングに深入りしようとは思っていない。あくまで生活費のための行為で、それとは別に真剣に株投資を勉強している最中なので、尊敬する人物はバリュー投資家のウォーレン・バフェットである。

現在の克郎の毎日はきわめて規則的だ。

朝八時に起床し、母屋玄関脇のトイレに小用を足しに行った帰りに庭木用に引かれた水道で洗顔と歯磨きを済ませ、物置にこもる。ざっとシカゴとシンガポールの日経平均先物を確認して、九時の到来を待つ。

市場がスタートしてから三十分ほどは、もっとも値動きが激しいので、その時間に売り買いすることが多い。とうぜん、部屋に二台あるうちの一台のパソコンは、一日株式画面をオンにしておくことにはなるけれど、神経質になっても疲れるだけなので、もう一台のほうでニュースや、企業の広報ページを見入る時間のほうが確実に多い。

午前中の取引が終わると、後場《ごば》が始まるまでは昼寝。その後場もひけた後は、ネットサーフィンをしたり、買い込んだ八〇年代の特撮番組のＤＶＤを見たり（アメリカ製特撮ヒーローもの『キャプテンパワー』がとくにお気に入り）、長年応援しているのにちっともブレイクしない、馬面のグラビアアイドル・佐藤キワコに関する掲示板を詳細に読んだりして過ごす。

掲示板は、読むだけで、書き込みは一切しない。食事はレトルト食品や、スナック類、菓子パンなどでとる。深夜、家人が寝静まったころに勝手口を開けて母屋へ入り、余り物を失敬したり、シャワーを浴びたりする。散髪は、ネット通販で購入した、掃除機につなげて自分で頭を刈る『フロービー』を愛用している。

運動不足は株を売り買いするときの判断力を鈍らせるので、最近、ステッパーと、板の上に立つだけで背筋が伸びてツボも押せるという健康機器を購入した。

このようにして、中学時代に始まった克郎の十五年以上にも及ぶ内的彷徨《ほうこう》は、ここへ来て一応の帰着点を見出すことになった。

しかし、緋田家の二階、北側にあるたかだか十平方メートルくらいのスペースを舞台に、克郎の内面史が、かように劇的な変遷を辿ったことを、家族は知らない。

「克郎は小学校からずっとあんな感じ」

で、ネットトレーダーだという話が出ても、

「結局、小遣い稼ぎでしょ」

としか思っていない。

母は、十年一日のごとく、

「早くまともな成人になってほしい」

と気を揉み、父も経文を繰り返すように、

「いつか追い出してやる」

と言い、姉二人はとりあえず自分のことでせいいっぱいで、あいかわらず克郎は、なんとなく忘れられている。

ところで、二〇〇六年を迎え、三十歳になった克郎は、十四歳の甥が庭を駆けて物置に閉じこもるのを見た日から、ひどく居心地が悪くなった。

お尻がむずむずするような感じは数週間続き、ある日、克郎は唐突に思い出した。

はるか二十年近くも昔、近隣の公団住宅から祖父母の暮らすこの家に移るのだと聞かされ、初めて間取りを見せられたとき、彼は北側の小さな部屋を指差して、二人の姉に向かって言ったのだ。

「ボクはこっちの部屋がいいや」

そのことを、彼はすっかり忘れていた。

姉たちも忘れているだろう。もしかしたら、あまりに小さい声で言ったので、聞こえてすらいないかもしれない。けれどもたしかにそう、彼は口に出したのだった。

それはたった一回の、家族中が彼の存在を無視してなにかを決めてしまうことへの、克郎の小さな抵抗だった。

一度くらいは、自分が主導権を発揮して、ことを決めたかった。他の誰でもない、自分がこの選択をしたためにそれが決定したのだという物語を生きてみたかった。

その後、克郎がはっきりとそうした態度に出ることはなかったが、この倒錯した発想は、長く彼の心理を支配し、行動の基本になった。

表明されることこそなかったが、彼自身の意識の中では、「そこに住みたいから」北側の部屋に暮らしているのだし、「太りたいから」太っていて、「存在に気づかれたくないから」忘れられ、「女に興味がないから」モテないのだ。

そうした克郎だったから、甥の行動を目撃し、二十年近く前の自分が蘇るとともに、

「物置に住むべきはオレではないか」

という疑問が、突然、脳天にひらめいた。

家族の中で、もっとも目立たない場所に住む人間は、自分なのではないか。まず自分が、誰より先にその場所を見つけ、選び、住み始めるべきだったのではないだろうか。

どう考えても妙なこの発想は、克郎の思考としては、自然な流れだった。

家族の中で自分よりも悪い条件下で生活している人間がいるなどというのは、じつに具合の悪いことだった。ある意味で、克郎のアイデンティティを脅《おびや》かしさえする。長年慣れ親しんできたポジションを、おいそれと明け渡すわけにはいかない。

そこで、克郎は部屋を出て、物置のドアを叩くことにした。

だめだ。だめだよ、さとる。君はこっちへ来ちゃいけない。

こっちへ来たら、あっちへ行くのはむずかしいよ。オレみたいに、ずっとこっちにいなくちゃならなくなる。

君はそんなふうになる人間じゃないんだ。オレみたいになる人間じゃないんだ。なにがあったか知らないけど、そこから出てこなくちゃいけないよ。

オレは君のネガティブ・インディケータだ。

ネガティブ・インディケータ、というのは株式用語で、どうあがいても負けていく投資家のことを言う。売ってはならないときに売り、買い時にはぐずぐずして手を出さず、そのくせ損切りができないから、あれよという間に資産を塩漬けにしていくんだ。そういう投資家を一人見つけた場合、その逆を行けば儲かるという理屈が成り立つ。ネガティブ・インディケータを探せとは、株で勝つための一つの定石だ。

この先、なにか迷ったら、オレの逆をやれ、さとる。

そうすれば、まともな成人になれる。

けれど、まともな成人とはそもそもなんだろう。

克郎は根本的な問いにとらわれる。

何平方メートルの広さの行動範囲を持ち、何人の知人を持ち、金をどれだけ持ったら、それが「まとも」ということになる？

カスミ硝子の向こうを、こんどは祖母が週二回訪れるヘルパーの皆川《みながわ》カヤノに手を引かれて通りすぎた。

「暑くなったね、おばあちゃん、お散歩は少し短めにしましょうねえ」

祖母に話しかける若い女性の、やわらかい声が耳を快く打った。

克郎は思いついたように、椅子を回転させてパソコンに向かい、メールボックスを開く。そしてなにやら打ち込む。克郎にとって、メールとはパソコンメールだ。九〇年代の半ばからひきこもっている克郎は、これまで一度も携帯電話を手にしたことはない。ちなみに電話をかける必要に迫られたときに使っているのは、ネット通信『スカイプ』である。

送信を終えると、また彼は椅子を回転させ、足をカラーボックスの上に投げ上げて、腹の上で手を組み、目をつぶる。

たしかにオレの人生は負け続けだが、株と同じで落ちるところまで落ちれば、上がりもするだろう。

さとる、君は十四歳で、まだまだいろんなことがあるよ。

でもね、そうおおげさに考えることはない。株には「往って来い」って言葉もあるよ。前場《ぜんば》寄りで高く始まったからって、後場でどうなるかわからないし、結局前日比と変わらなかったりするんだってさ。

パソコンがメール受信音を響かせると、克郎はまた足を浮かせ、ディスプレイへ向き直ろうとして、左側の画面上で、何日か前に購入した銘柄が反発して上昇に向かったのを目にとめ、静かに微笑む。

自分の人生を悪いばかりじゃないと思えるようになったのは、ごくごく最近のことだ。もちろん、株での勝ちが続いていることもある。

でもそればかりじゃないんだ。

返信メールをチェックしながら、克郎は頬をゆるめた。

きっかけは、株式用語を使うならアーニング・サプライズ（しかもポジティブ）というべき事件が持ち上がったからなのだけれど、それはまた、別の話になる。

冬眠明け

「そいつ、ヒッキーなんだって？」

秋に別れた男が、皆川カヤノの目の前で言う。

「やばくね、そんなの。まじ、チュウコクしとくけど」

「誰に聞いたの、そんなこと」

「ま、噂？　――心配なんだよ」

「なにが？」

「カヤのこと」

「べつに心配することないよ。ふつーにやってるもん」

「ふつーじゃ、ねえし」

「なにが？」

「ふつーじゃ、ねえよ。そんなヤツ」

「関係ない。どいて」

カヤノは元彼のセイシロウを半ば突き飛ばすようにして自転車にまたがった。

「まじで心配なんだよ。せめて、ふつーのにしろよ！」

背中にセイシロウの怒鳴り声が響いた。

いまさら、なにしに来た、あのばか。

「やなかんじ」

カヤノはそう、口に出してみる。やなかんじ、やなかんじ、やなかんじ！

それから携帯電話を取り出して、自転車を左手で操りながら右手でメールを打った。

（あ・い・た・い。）

ちゃっちゃら〜と着信音が瞬時に響き、液晶に「かっつん」という文字が光った。

（いつ来る？）

カヤノは決意したような表情で、次のメールを打ち込んだ。

（家じゃなくて。外で。）

いつも、ピンポンラリーのように打ったらすぐに返ってくるメールが、途切れた。

駅に着いて自転車を降りても、構内に入っても、電車に乗っても、三つ目の駅で降りても、どうしても返信はなかった。

カヤノは宙を見つめるような顔つきになり、大きくひとつ溜め息をついて、コンパクト型の携帯を閉じてポケットにしまった。

それから二日、「かっつん」からのメールはなかった。ときどき携帯を手にして、「かっつん」にメールを送ろうとしたけれど、なにを書いていいかわからなくて、やめた。

セイシロウからはたびたびメールも電話もかかってきた。でもそれは、無視した。誰かとうまくいかなくなると、強引にカヤノとの仲を復活させようとするセイシロウにはもうこりごりだった。

たしかに「かっつん」は、ちょっとヘンかもしれない。カヤノも、そこのところは、あいまいにしている。だけど、セイシロウだって、あれ、病気じゃないだろうか。あんなに、すぐに女にちょっかい出して。

カヤノはくまさんみたいな「かっつん」の姿を思い浮かべた。「かっつん」は、いつも髪の毛を自分で切っている。掃除機の、先っぽのところにシェーバーみたいなのをつっこんで、それで梳《す》いているらしい。だから、「かっつん」の髪はどことなく不ぞろいで、あたま悪い感じを漂わせている。

そして「かっつん」は、基本的にジャージストだ。それも、いまどきなアディダスとかプーマの古着っぽい原色のじゃなくて、中学のをそのまま着ている感じだ。このあいだ会ったら、ユニクロのアスレチックジャージ着ていたけど、それは通販で最近購入したようである。中学のやつは紺だけど、最近買ったやつは茶系で、それがまたくまさんぽくて、すごくよく似合っていた。

「かっつん」が、事務所兼自宅からちっとも出ないことは、カヤノもおかしいと思っている。だけど、仕事に行くといってゲーセン行って、お金なくなって帰ってるセイシロウが、それじゃあ、おかしくないのか。

カヤノは想像力のすべてを駆使して、「かっつん」の弁護を試みる。だって、「かっつん」は、自宅と事務所が同じ場所にあるんだから、出て行く必要がないんじゃん。この際、「住んで」いる「事務所」が、れっきとした物置であることにも、カヤノは目をつぶった。

けれどもやっぱり、カヤノだって不安だった。

自分が、日本一ヘンな男を好きになったのではないかということは。

だから、どうしても外で会いたいと思ったのだった。

さびしいさびしい二日間が過ぎ、金曜の朝、携帯がピッと光って、液晶に「かっつん」の文字が現れた。

カヤノは急いでメールを開いた。そこにはこんなふうに書いてあった。

(今夜、中井草第二公園二十二時三十分)

それはなにかの暗号のようだった。

もう一回携帯に振動があり、「かっつん」からのメールが到着した。

（に来てください。待っています。）

「かっつん」が自分に会おうとしている。しかも外で。

カヤノはうれしくなって、涙をちらっと流した。

皆川カヤノと緋田克郎は、克郎が母屋で暮らしていたころに三度、会話している。

一度目は、カヤノが二階南側の納戸（現在は緋田友恵が使用中）に、吉野タケに頼まれた品物を探しに行った折、トイレから出てきた克郎とばったり出会った。

「こんにちはぁ」

と、カヤノは言った。緋田家で仕事をすることが決まったときに、緋田夫人に家族構成を聞かされ、「家で働いている長男の克郎」がいると、半分以上嘘の説明を受けていたので、「ああ、この人が」とカヤノは思ったのである。

妙齢の女子に「こんにちはぁ」と言われて、克郎の胸の内には、ほのかな衝撃が走った。以後ひんぱんに、週二日、定時に訪れる彼女の姿を、克郎は二階北向きの窓から確認している。やってくる姿と、帰っていく姿。それから、祖母のタケといっしょに、散歩に出かける姿などを。

もちろんこっそり眺めるだけで、それ以上の行動に出ようとはしなかった。そんなことは克郎のメンタリティに照らして、ありえないことだった。わざわざ一階に下りて、偶然を装って話をしてみよう、などとももちろん思わなかった。ただ、四角い窓から見える風景に映りこむ彼女を見ているとそわそわした。いつのまにか、彼女の来る日を心待ちにするようになっていた。

ある日、彼女がやってくる時間だなと思って、ふと窓の外を見ると、まぶしそうに二階を見上げるカヤノと、目が合った。なにかで胃の辺りを殴られたような感覚があり、目を伏せようとした克郎に向かって、快活な彼女は手を振り、口をわざと大きく開けて、「お・は・よ・う!」と、言ったのだった。

そのとき瞬間的に、克郎は右手を顔の脇まで上げて、そしてそのまま硬直した。彼女はにこにこしたまま、緋田家の玄関に入っていった。

彼は下ろしてきた右手の甲を、なにか神聖なものであるかのようにまじまじと見つめ、左の手でさすった。

オレ、いま、なにをした?

殴られたばかりの胃が、弛緩《しかん》するにつれて温度を上げていくようだった。それから数日、彼はそのことばかり考えて過ごした。彼女の笑った顔、大胆に振る右手、大きく動く口の周りの筋肉、自分が上げた右側の手を。そしていつも、最初のときと同じように右手の甲をさすってみる。すると胃からみぞおちにかけて熱いような冷たいような感覚が走って、頭の芯までがぼんやりしてくるのだった。

せめて彼女の名前を知りたいものだと思ったが、母親に聞くのははばかられた。しかし、その問題の解決は早かった。緋田克郎の母親は、ダイニングにある電話台の脇の壁に、ありとあらゆる電話番号を付箋《ふせん》で貼り付けておく癖があったのである。深夜、菓子パンを求めて食堂に下りた克郎は、そこで、「ヘルパー・皆川カヤノさん携帯・070・××××・××××」という青い付箋を発見した。

しかし、克郎がこの電話番号に連絡を取ってみるような大胆な行動に出なかったことは想像に難くない。彼は名前と番号を控え、二階に菓子パンとともに持ってあがり、机の引き出しにそっとしまっておいた。

ロマンスの神様は絶対にどこかにいて、不器用者の恋を応援してくれるものだ。

そう言ったのは、のちに親しくなってからの皆川カヤノだったが、たまたま克郎がたったひとりで家にいて、しかも昼日中《ひるひなか》ダイニングに下りているときに、けたたましく電話のベルが鳴って、液晶に発信元の電話番号が映し出されるのを目撃した事実などは、やはりある種の奇跡、具現されたシンクロニシティと解釈されはしないだろうか。

それは、あまりに何度も眺めたのですっかり暗記してしまった、皆川カヤノのPHSの番号だった。呼び出し音は数回鳴って、それから一時終息した。近所のスーパーに買い物に出ただけの母親は、留守電にはしていなかった。そのまま動けないでいる克郎の目の前で、もう一度電話が鳴り、液晶に同じ番号が映った。克郎は、発作的に受話器を上げた。

「緋田さんの御宅ですか？」

やわらかい声が耳を打った。

「はい」

裏返りそうな声で、克郎は応じた。

「奥さまはお出かけですか？」

「はい」

「えー、どうしよう。カツロウさん？」

あろうことか、電話の彼女が自分の名を口にした。克郎はこたえることができなかった。

「ごめんなさい、伝言お願いできますか？　明日、おばあちゃん、デイケアなんですけど、このあいだ渡した問診票、書いて持っていってもらいたいんですよぉ。あたし、そのこと言うの忘れちゃって。お願いできますか？」

「はい」

もう一度、克郎はかろうじてこたえた。

「問診票です、記入できないとこはそのまんまにしててだいじょうぶです。すいません、よろしくお願いしまぁす」

電話は切れた。蜜壺のなかに落ちていくような感触を、克郎は覚えた。

そして、二人のすべての方向を決定づける三度目の会話が交わされたのは、二〇〇六年二月十四日のことだった。この日、克郎は生まれてはじめてのバレンタインチョコレートを皆川カヤノから受け取る。

それまで、いかに世間が騒ごうが、菓子メーカーが宣伝しようが、克郎にとってその日は、北朝鮮の総書記の誕生日の二日前であることほどにも意識されなかったものだが、以後は、克郎の歴史に、革命記念日のように鮮やかに刻まれることとなった。

母屋二階北側トイレ脇の克郎の部屋を、トントンとノックする音がした。よほどのことがなければ、母親すらそんなことはしない日々が数年続いていたから、なにごとが起こったかと克郎は身構えた。続いて、「克郎さん、いますぅ?」という声が聞こえた。意を決して、克郎がドアを開けると、そこには皆川カヤノが立っていて、ぽんと赤い袋を克郎に手渡し、「バレンタインデーだから」と微笑んだ。

ドアが閉まり、部屋にひとり残された克郎は、ぺったりと床に正座し、放心した表情で赤い袋を見つめ、株式画面をチェックすることも忘れて、ただただその身を充たしていく幸福感と、それに対する膨大な疑問符とともに数時間を過ごした。

なんだったんだ、いまの。なんだったんだ。なんだったんだ。なんなんだ、いまの。

あまりの衝撃とありがたさに、克郎はいまだにそのチョコレートを食べることができないでいる。

　しかし、アステカ皇帝モンテスマが愛飲した媚薬《びやく》ショコラトルの流れを汲むスイーツの効果は、パッケージだけでも絶大なものだった。ことここに及んでとうとう克郎は、ひとりの男として、あるいは人間として、どうしてもお返しをしなければならないという、彼の三十年間の人生において初めてとも言うべき、他者との前向きなコミュニケーションへと駆り立てられることになったのだった。

　もちろん、これが世に言う「義理チョコ」であることは、克郎にもわかっていた。そういう部分でこの男は実に謙虚で、思い上がりとは、悲しいほど無縁な人間だった。

　それでも日々インターネットやテレビを通して入ってくる情報で、巷《ちまた》ではチョコレートをもらったらマシュマロやクッキーを返すという物々交換が存在するらしいと知っていたし、それ以前に素朴な心情として、彼は彼女にお礼をしたかった。

　この日以来、緋田克郎の部屋には、全国各地から次々と宅配便が取り寄せられることとなる。もちろん、克郎の妙な行動は、ふだんならばそれだけで家族の注目をひきつけたのかもしれない。

　しかし、克郎の小さな初恋がひっそりと芽生えつつあった頃の緋田家といえば、長女一家の転入、さとるの暴走、友恵の出戻り、それに友恵の妊娠発覚など、引きも切らずに大事件が持ち上がっていたものだから、克郎が通販でなにを買ってこそこそ食べていようが、一顧だにされずに日々はすぎていった。

そして一ヵ月の間、彼はもくもくとクッキー研究に励んだのだった。


一方の皆川カヤノは、前年の秋にセイシロウとの同棲を解消してからフリーだった。だからバレンタインデーのチョコは、基本的にすべて社交上の必然によるもので、十四日当日、緋田家に向かう朝にバッグに入っていたものは、計算違いでひとつだけ余るはずのものだった。それでもその朝、克郎に渡そうと思いついたのは、緋田家を訪れるたびに二階から愛想よく手を振ってくれる彼のことを、感じのいい人だなと思っていたからだと、のちのちカヤノは語って、克郎のプライドを救った。

そういうわけで、カヤノが我知らず蒔《ま》いた種は、緋田家の二階でひっそりと克郎によって育てられ、三月に入ってまさに芽吹こうとしていた。

克郎は満を持して三月十四日に臨んだ。

いつのころからか彼は、「お返し」という受動的な動機を忘却し、攻めの態勢に入っていたので、結論として「お菓子だけでは物足りない」と判断し、籠《かご》にプリザーブドフラワーと洋菓子をセットにしたものを準備した。花はピンクとホワイトローズの組み合わせで、菓子はクッキーとフィナンシェだった。

この年の三月十四日は火曜日で、皆川カヤノが来訪するのは火金の午前中だったから、克郎は五時に起床して待っていた。

ところがいざ渡そうと思うと、どうやっていいかわからなかった。カヤノのそばには常に祖母のタケがいたし、それ以上に、日中歩いているところを家族に見せるのに抵抗があった。煩悶の末、克郎は十四日に機会を逃し、結果的に十七日も逃した。二十一日は春分の日で、二十四日にも渡せなかった。

どうしても心理的な壁を越えられず、部屋を出ることができない自分を、克郎は呪った。

いくらプリザーブドフラワーとはいえ、白い花が変色してしまわないかと考えると、気が狂いそうだった。

一家を揺るがす大事件が、三月二十五日の夜に起こった背景は、ひとつここにもあったかもしれない。緋田家の長男は、かつてないほど追いつめられた心理状態にあった。それなのに、なにも知らない緋田家の当主、龍太郎が、自分が入りたいときにトイレに入れなかったというくだらない理由で、この日の夜、あらん限りの罵声を息子に浴びせかけたのである。そこに危険な化学物質を混ぜ合わせたような事態が起こりうることは、現在の時点から考えれば自明とも言える。

翌、二十六日の日曜日、彼は二十年間暮らした母屋北側の六畳を出て、南東の柿の木の下の物置に引き移った。

かくなる上は、ほかに手段はなかった。

克郎は三月二十八日火曜日、朝から物置のガラス窓を通して目を光らせ、万全の態勢で皆川カヤノを待ち伏せした。そして、彼女が祖母の手を引いていつものように柿の木の下を通ったところで、物置のドアを開け、皆川さん、と声をかけ、手にした紙袋を差し出した。

「これ、チョコのお礼。遅くなっちゃって」

それだけのことを、つかえずに言えたかどうか、ほんとうのところ克郎には自信がなかったが、皆川カヤノはこのときのことをのちのち以下のように回想した。

〈あるうひ、あるうひ、もりのっなっかっ、もりのっなっかっ、くまさっんにっ、くまさっんにっ、であった、であった〉って音楽が、聞こえたの。あたまん中、走ったの。

ほんとはそれだけじゃなくてね。〈おじょうっさっん、おじょうっさっん、おまちっなっさい、おまちっなっさい〉ってとこまで聞こえたの。ふわって、はちみつみたいないい匂いがしたのよ。きっとお菓子の匂いだったんだと思う。

あ、この人、いい人かもしれないって、あたし思ったんだ。

なんかね、そのとき、あたし、そう思ったんだよ。

緋田家と、午後にもう一件の仕事を終え、会社でタイムカードを打ってから、一人暮らしのアパートにたどり着いた皆川カヤノは、花とお菓子に埋もれて、「チョコ、ありがとうございました。緋田克郎」と書かれたカードを見つけ、その裏に控えめに記されたメールアドレスを発見した。

その日のうちに、カヤノは克郎にメールを送り、後の展開は、アドレス交換をした男女にはまあ訪れるであろうと思われるやりとりが続くことになるのだが、あきれるほどすぐに、正確に打ち返される克郎からのメールは、徐々に徐々にカヤノにとって、たいせつなものになっていった。

カヤノが緋田家で仕事をする日には、二人とも庭に出て会話するようになった。この重大な事実に、一族の誰一人気づかなかったのは、もとより克郎に存在感が薄かったためと、物置の入口が母屋からも離れからも意外な死角になっていたせいである。しかも、勤務中に遊ぶわけにもいかないカヤノとひきこもりの克郎は人目を避けて、物置の裏で話し込むようにしていた。そして、タケをひとりぼっちにしてはおけないから、ものの一分もしない立ち話だった。

タケは目撃した事実を瞬時に忘れる老人性の病を患っていたので、克郎とカヤノの関係が明るみに出るのは、まだまだ先のことになるのだった。

四月に入ると、カヤノはすでに克郎を「かっつん」というニックネームで呼ぶようになっていた。克郎の物置で初めて二人きりで過ごしたのも、このころのことだ。

タケがショートステイに出かけ、緋田夫妻が少し外でゆっくりしてくることにした夜、たまたま次女の友恵も地方出張に出かけていたため、母屋に住人がいなくなったのだ。母屋と離れは入口がべつなので、柳井一家は気づかない。さとるが離れで両親と夕食をとっているわずかな時間をついて、仕事帰りのカヤノは緋田家に滑り込み、物置のドアを叩いた。

引越したばかりの部屋は、意外に整然としていた。カヤノが途中のコンビニで仕入れたケーキとビールで、二人はささやかな宴を催した。

気詰まりにならないように、職場の話や友達の話や学校時代のことなどを、次から次へとしゃべりまくったけれど、途中でカヤノは気がついた。この人は、聞き上手だ。そして、あたしたちはけっして、たとえ話すことがなくなっちゃっても、気詰まりになんかならないだろう。

少しだけ酔ったカヤノは、四つんばいの姿勢であごをぐうっと逸らし、向かい側に体育座りをしている「かっつん」にキスをした。

深夜になって、人々が寝静まった頃に、カヤノは緋田家を後にした。

二人はそれぞれに、それぞれの部屋でぼうっとしてその後の時間を過ごした。

カヤノは克郎にとって、正真正銘、初めての恋人だった。

カヤノが二十四年間に及ぶ人生の中で出会った男たちは、みんなすれっからしの女ったらしで、平気でフタマタもミマタもかけた。みんな、絶望的に甘ったれだった。誰かの初めての女になることは、ちょっとスリリングだ、とカヤノは思った。けれど、そのほんのりした幸福感は、そう長くは続かなかった。

週二日、こっそり物置の裏で会い、タケとの散歩の帰りに買ったマックのフィレオフイッシュやモスのテリヤキを届ける、というようなことだけでは、二人とも物足りなくなった。かといって、緋田家の面々に状況をさとられたくない克郎は、カヤノの休日に家に呼ぶ勇気がなかった。二回ほど、カヤノは夜遅くこっそり物置を訪問したが、克郎はだんだん、カヤノを深夜にひとりで帰すのが心配になってきた。

「ね、昼間、どっかで会ったりできないの?」

そう、カヤノが言い出すのは、時間の問題だった。

すまなそうに首のあたりをぽりぽり掻きながら克郎は、恋の終わりを予感した。はっきりしない態度に痺《しび》れを切らして、カヤノは女友達に愚痴をこぼした。

「え〜、やめなよ〜。ヒッキーなんか。ヒッキーだよ。ひきこもりだよ。ひきこもりはおたくだよ。おたくっていうのはヘンタイだよ。やめなよ〜、ヘンタイなんか」

言下にその友達がまくしたてたので、カヤノはせつなくなった。

セイシロウが、カヤノのアパートの前に現れたのは、その翌朝のことだった。

中井草第二公園は、緋田家のすぐ裏手、離れのほうの出入口からだと三十秒もかからないくらいの距離にある小さな児童公園だ。夜、人のいない時刻に見ると、昼間とはどこか様相を異にしていた。

二十二時三十分。

住宅街の公園は静かで、山の形をしたすべり台におおいかぶさるように桜の木が一本、夜風を受けて梢を揺らした。もう花はなく、葉ばかりで、芽吹いた新芽はときおり、街灯に照らされて黄色に光っているように見えたが、近づいてよく見ると、その葉が受けている淡い暖色の光は、街灯のものではなかった。

いくつかの枝に、カンテラがかけられていたのだ。太い、ごつごつした幹の下に、カヤノは立った。風はやや強かったが、冷たくはなかった。そろそろ春から夏へ、季節も移ろうとしていたからだ。

「あ」

小さな声を、「かっつん」は上げた。

「来たよ」

カヤノは言った。

そのとき「かっつん」がしていたことは、欠けたブロックを三つ、コの字形に並べる

ことで、あわてた「かっつん」はブロックの一つに蹴《け》つまずいてよろよろしながら、それでもカヤノに、

「寒くない？」

と尋ねた。

「寒くないよ。ねえ、なにしてるの？」

「花見、しようと思って」

「花？」

カヤノが枝を見上げると、

「そうだよ。ないんだよ。花はもうないんだけどさ」

「かっつん」が早口で言った。

ちゃっちゃちゃら〜、と携帯のメール着信音が鳴って、液晶に「セイシロウ」の文字が映った。反射的にメールを開くと、

(なあ、カヤがいないとオレ、やばいって。まじ、死ぬかもだって。なあってば)

と、書いてあった。

「こっち来て。ここに座って」

それは山の形をしたすべり台の胴体に丸くくりぬかれたトンネル部分だった。四隅を石で押さえたビニールシートが敷いてあり、たしかに風のこない場所だった。

「かっつん」はすべり台の脇に陣取り、その前にブロックを並べ、キャンプ用の小さなガスコンロに火をつけて、アルミ箔の鍋を載せた。

「もうすぐ煮えるからね」

「かっつん」は、カヤノに缶チューハイをよこした。

「なにこれ、すごいじゃん」

カヤノは素直にそう反応して、二人は缶チューハイをかちっと合わせて乾杯をした。

「ここ、お気に入りの場所だったんだよ。子どものときから」

静かに、「かっつん」は語り始めた。

「桜、咲くときれいでさ、桜の天井みたいなのができて。小学生んときかなあ、ひとりで夜桜見に来て、そのまま寝ちゃったこともあったんだけど、朝、起きたら花びらが散ってて、朝日があたって、あったかくて。天国で目が覚めたみたいな感じした、そのとき」

カヤノは目をつぶって上を向いた。

桜が満開に咲いていて、それがちらちら散ってて、朝日が射し込む様子を思い浮かべた。たしかにそれはちょっと天国みたいかもしれない。

「お家の人、心配しなかった？　かっつん、一晩中、公園にいたりして」

「うん。気がつかなかった。ちっちゃいころから、すぐ忘れられちゃうんだよね」

そう言って、「かっつん」は屈託なく笑った。

鍋がコトコト煮え出して、「かっつん」は発泡スチロールの白いお椀にていねいに鍋焼きうどんをよそってカヤノに渡した。

夜の公園の鍋焼きうどんはあったかくて、スリリングだった。

「ね、こうやって話してると、ぜんぜんふつうなのに、かっつん、どうして外に出られないの？」

「どうしてって。どうしてかな。そうだよね、カヤノさんにはそのこと話さなくちゃいけないって思ってたよ」

「聞くよ、なんでも。驚かないよ、なに聞いても」

それはね、と言って、「かっつん」は話し始める。

「こうしてるときはふつうなんだけど、外に出るって考え始めると、ふつうじゃなくなっちゃうんだよ。たとえばね、たとえば、中学の同級生に会うとか考えるとすごく怖い」

「なんで？　いじめられっ子だった？」

「そうじゃないのに、怖い。人に見られると思うと際限なく怖いんだよ。それだけじゃないの。たとえばね、たとえば、スターバックスが怖い」

「スタバ？」

「一度も行ったことがないから。ぜったい、うまく注文できないって知ってるから。想像もつかない。『あなたのドリンクを自由にアレンジ』なんて。ホームページでショットだシロップだコンディメントだフレーバーだって、何千回確認しても、自分がスタバ行って、そのめんどくさい注文をするって考えると、死んだほうがましな気がしてくる」

「誰もそんなことしてないよ。『ショートラテ』とか言うだけだよ」

「まったく同じ理由で、讃岐《さぬき》うどんチェーンも、怖い。床屋も怖い」

「かっつん、気にしすぎだわ」

「そうなんだけど。でも、だめなんだ」

そう言って、「かっつん」は、うなだれた。

やさしい「かっつん」。公園でお鍋食べさせてくれた「かっつん」。ちっともヘンじゃないのに。

「でも今日、出てきてくれたね。あたし、うれしかった」

「夜だから、やれるかなと思ったんだ。人に会わないし。それに」

少しだけ、「かっつん」は、ためらうような考えるような顔をした。

「カヤノさんと、会いたかったし。ここに、来たかったし、いっしょに。ほんとは春に。もっと、桜、きれいに咲いてるころ。それで、カンテラとか、コンロとか、買ったりしたんだけど。誘おうと、出てこようと思ったんだけど。勇気なくて。でも、もうこれ、最後だと思ったから」

「なんで最後なの。最初じゃん、これ」

そうつっこむと、まるで泣き笑いするみたいな表情の「かっつん」がそこにいて、カヤノはとつぜんこの人がとてつもなくいとおしくなる。

ちゃっちゃら〜、とまた着信音がして、「セイシロウ」からメールが到着した。

いいかげんにしてセイシロウ。もう終わったのよ。こんどこそ。

カヤノは携帯の電源を落とした。

「寒くない？」

自分のはおっていたジャージの上着を脱いで、カヤノの肩にかけようとするから、うん、と首を横に振って断って、

「それより、こっち来て」

と、カヤノは言う。

「二人は狭いよ、そこ」

「そうじゃないの。かっつんが奥に座って、あたしがその前に座るの」

立ち上がるとカヤノは「かっつん」をすべり台の横腹のトンネルに座らせて、自分はその懐にもぐりこみ、ジャージを着た「かっつん」の両腕をつかんで、おなかの前で組

み合わせた。

「こっちのほうが、あったかいでしょ」

「うん」

とつぜん、カヤノのあたまに音楽が鳴り響く。〈あらくっまっさん、ありがっとう、ありがっとう、おっれっいっに、おっれっいっに、うたいっまっしょ、うたいっまっしょ〉

「ねえ、かっつん。あたしはまたときどき夜の児童公園でデートしたい。かっつんが行かなくても、あたしがスタバでコーヒー買ってきてあげるよ」

「うん、でも」

「かっつんが、どっかに行ってみたくなるまで待つ。行きたくなったらあたしがいっしょに行ってあげる。夜、ちょっとずつ始めて、そのうち昼間も出られるようになるよ。ゆっくりやればいいよ。あたしはいそがないから」

ごくりっと、「かっつん」が唾を呑みこむ音がした。「かっつん」はやさしくカヤノの髪を撫でて、それから、

「もう遅いから、駅まで送ってく」

と、言った。

「行けるの？　駅まで？」

「誰にも会わなくてすむ道があるんだよ。高校のころ、通ってた」

立ち上がって、ゴミ箱にいらないものを捨て、紙袋にキャンプ用コンロをつっこむと、「かっつん」は前に立って歩き出した。

「ありがと、かっつん」

と、カヤノが言ったら、

「お礼言うの、こっちだよ」

小さな声で、「かっつん」がこたえた。

二人は手をつないで、夜の道を駅へと歩き出した。

「かっつん?」

「なに?」

「あたし、かっつんに、聞きたいことあるんだけど」

「なに?」

「あのさあ」

少し言いよどんでから、決意してカヤノは立ち止まった。

「かっつん、部屋にエッチなビデオとか、持ってる?」

面食らった「かっつん」は頬を赤らめたが、夜道のことなのでカヤノにもそれは見えなかった。

「あ。あるかも、しれない。ごめん」

「うちは、できんよ」

「え？」

「ああいうのは、あああーんとか、いっくうううとか、激しいこと、いっぱいしよるでしょ。できんよ、うちは」

リアクションに困って、「かっつん」は慎重にうなずく。

「ひきこもって、そういうビデオばっか見よる人は、女の子はみんな、そうしよるもんだーゆうて、期待しとってから、あんまりそういうふうにできんと、がっかりしてしまいよるーゆうて、友達が言うとった。でも、うちはできんよ」

「そんなの、やらなくて、いいよ。それより、カヤノさん、それ、どこの言葉？」

「田舎のことば～」

二人は同時に笑い出した。

駅までの距離がもっと遠ければいいのにと、皆川カヤノは思った。

葡萄を狩りに

あなたは転んでもただじゃ起きないわ、と妻は言った。

柳井聡介がオンラインショップ開業者のためのウェブプロデュースを専業にした会社を、たたむと決意したときのことである。

「あなたは、私が生涯出会った中で、いちばん楽天家でいちばん無謀でいちばん生命力のある人だもの。きっとまたすぐに立ち直って、なにか始めるに決まってるわよ」

楽天家でおおらかなのは自分ではなく妻のほうだと、そのときは思った。

さすがに、自分で起業した会社を潰すに至る過程は、それはそれは消耗するものだったから、「すぐに立ち直る」のは、どう考えても無理だという気がしたのだ。できれば次の仕事などに煩《わずら》わされずに、二、三年なにもせずにぶらぶらしていたいのが本音ではあった。

しかし、ほぼ鬱《うつ》状態で家にいたのは、都心のマンションを引き払って移ってきた当初だけで、二ヵ月後には、毎日出かけるようになった。妻の実家で過ごす時間はなんとも気詰まりで、中学生の息子の視線も刺すように感じられ、ともかくきちんとした格好をして外に出ざるを得なかったからだ。

妻には「職探し」とだけ、言った。仕事を紹介してくれるという友人がいないこともなかったし、会って話をする機会もなかったわけではない。

けれど、どれもやってみる気にはなれなかった。

それよりも、知らない街を歩きたかった。スーツを着て、アタッシェケースを持ってせかせか歩いている聡介を、道端の主婦や老人は不思議そうに眺めたが、本人はちっとも気にしていなかった。「田舎道を歩くビジネスマン」に見えているはずだと、確信していたのである。

鉄道の線が延びている先の、行ったことのない場所を、聡介は好んで探索した。

駅を出、行き当たりばったりバスに乗り込んで、適当な場所で降りると、近くに川があったり、海までもそう遠くなかったりして、首都圏の広さを再発見できた。

新興住宅地と道一本隔てて悠々と茶畑が広がっているかと思えば、田んぼの向こうに雑木林に守られた木の家があり、バス停の脇に雑貨屋と駄菓子屋がいっしょになったような平屋の店があって、道にせり出した横長の冷蔵庫の中には、瓶入りのスプライトが入っていたりする。

大学を卒業して二十一年、結婚して十五年、自分の会社を立ち上げて十一年、それを失くして半年あまり。新入社員の二年間だけは岐阜勤務だったが、それ以後は赤坂、渋谷といった街中で働いていたせいだろうか、平日の郊外風景はなぜだか懐かしかった。

収穫を待つキャベツ畑の脇で足を止め、しゃがみこんで大きな花のように開いた厚い葉が陽を照り返して露を光らせるのを見、なにかに突き動かされて上着を脱ぎ、ワイシャツの袖をまくって手を畑の中につっこんでみた。

ひんやりとした感触が指の先に残り、土の匂いが鼻を打った。

しかし、こうした散策も、意外に交通費が嵩む。

妻にそれを要求するのも気持ちの負担になってきたころ、聡介はたまたま乗ってみた京王線の先の、「狭間《はざま》」という、哀愁を漂わせた名前の駅で拾った求人案内に、『まるちゃんの猫の手サービス』とあるのを見て、足を止めた。

「事業内容：猫の手ですからなんでもいたします。

年齢制限：だいたい五十歳くらいまで。

資格など：自動車普通免許希望します。パソコンできれば尚可《なお》。

待　遇　：経験に応じてご相談させてください。

いつでもご連絡ください。

＊それとは別に農作業補助募集中です。

まるちゃんの猫の手サービス・人事担当・まるやま」

稚拙さのためか謙虚に感じられる表現が、聡介に好感を抱かせた。そしてもっとも彼の心をとらえたのは、「それとは別に農作業補助募集中です」の一文だった。

なにがいったい「それとは別に」なのだか、文面からはまったくわからなかったが、わかる必要もないと思った聡介はさっそく電話をかけた。

小料理屋の二階の事務所に出かけると、待っていたのは聡介と同世代の、髪の毛がかなり薄くなった男だった。男は胡散臭《うさん》そうに聡介を眺め、「まるやまてつお」という名刺をくれた。

「あんたみたいな人が、バイトで働くところじゃないけどね」

聡介の渡した履歴書を見たまるちゃんは言った。

「そんなこと言わないでくださいよ、頼むから」

聡介はいくらか投げやりな口調になった。

「うちだってあなたとおんなじ、個人経営の小さな会社だったんです。それを潰したんだから、後がないんですよ。なんでもやりますよ。息子が中学生なんです」

「そんでもあんた、バイトじゃなあ」

言いかけたものを、まるちゃんはなにごとか理解したのか中途で止めて、

「いつから来られます？」

と、事務的につぶやいた。

「今日でも明日でも」

「あ、そう。今日？　今日ねえ。今日？」

何度か「今日」を繰り返し、老眼らしく手元を遠ざけてもう一度履歴書を精査したまるちゃんは、

「ITベンチャーの、社長さん」

と、質問なのか独白なのか、よくわからない語尾になる。

「元ね」

「その前が証券マン」

「ずっと前ね」

「パソコンできるよね」

「普通にはね」

「じゃ、行ってもらっていいかなあ。二時に一件」

「どうしてもと言われれば行ってもいいけど、僕が来たのは『それとは別に農作業補助』のほうですけどね」

「え？」

まるちゃんはびっくりして聡介のスーツ姿をもう一度眺め回した。そして壁掛け時計を一瞥し、

「飯でも食いましょう」

そう言うと、事務所の電気を消して、聡介を追い立てるようにして廊下に出、鍵を閉めて階段を下りた。その間にも何件か携帯に連絡が入り、「猫の手サービス」はそこそこ需要があるようだった。

まるちゃんと聡介は、一階の小料理屋で鯖《さば》の味噌《みそ》煮《に》定食を食べた。

「俺もね」

まるちゃんは鯖と飯と味噌汁を、「三角食べ」の手本のように規則正しく順繰りに口に運びながら語りかける。

「前はサラリーマンやってたの。いまはこうしてひとりだからさあ、ひとりだからやれるんだよ。たまたまちょっと仕事が増えちゃったからこうしてアルバイトさんお願いしたけど、基本はひとり」

聡介もしょっぱめの味付けの魚とごはんをお茶で流し込むようにして、とりあえず、うんうんとうなずく。

「聞いちゃっていいかな。柳井さんとこは、従業員はいたの」

「片手にちょっと余るくらいいかな」

「しんどいねえ。しんどかったねえ」

　まるちゃんは目をつむって顎を上に向ける。

「若い連中だったから、変わり身が早くてね」

　いっせいに示し合わせて辞表を出し、競合他社を立ち上げたスタッフの顔を、聡介は瞬時に脳裏に浮かべた。沈みかけた船から逃げ出す勘のよさは、最も精神的に辛い時期の聡介を打ちのめしたものだった。しかし、浪花節《なにわぶし》をがなりながら最後までついてくるような人間の、失職後の世話まですることを考えたら、彼らのクールさはある種の救いだったかもしれない。

「基本、ひとりでやってるんだけど、親父が具合悪くなっちゃってさ」

「はあ」

　聡介は相槌《あいづち》を打った。たしかに、替えのきかない辛さは、プライベートな事情で身動きできなくなったときに露呈するものだ。

「あんた、ほんとに農作業やる？」

　じつはあの求人の「それとは別に」を見て、失職して以来今日初めて積極的に「仕事をしたい」と思ったのだと、聡介は鯖を突っつきながら告白した。

「土いじりが好きなんですか？」

「いや、そういうわけじゃあ。でも、やってみたいと思えることが他にないんですよ」

「そう」

まるちゃんは黙ってお茶をすすった。

「あのう、なにが『それとは別に』なんですか？　農作業補助は『それとは別に』と書いてあったけど」

聡介が切り出すと、まるちゃんは真面目な顔をして、

「勤務地が別になります」

と言った。


翌日から、聡介は「まるちゃんの猫の手サービス」の臨時従業員となった。派遣先は京王線狭間駅から見ると都心部をまるまるまたいでずっと向こうの千葉県で、総武本線八街《やちまた》駅からバスで十五分ほどの葡萄《ぶどう》畑だった。最初に行ったのは四月の中旬で、農家は「芽きり」と呼ばれる、剪定《せんてい》に似た作業に追われていた。

農場主がぎっくり腰で作業ができないのだとかで、聡介は農場主の妻と二人でもくもくと作業に励んだ。

「息子が来りゃあ、世話ないんだけど」

農場主の妻は言う。農場主の息子とは、他ならぬ「まるちゃん」のことである。

「俺はやりたくないの、農業は。俺は自分のビジネスしたいの。親父にもやめろって言

ってるの。もう七十五でしょ、定年だよ。畑なんか誰かに貸しゃいいし、二束三文で売っちゃったって、作業の手間ひま考えたらラクだろうって言ってるの。でも聞かないの、親父。それでがんばって、腰痛めちゃったの。どうしても葡萄の収穫時期までがんばるって言うんだもん、やんなっちゃうよ」

まるちゃんを脂肪吸引して三分の二に縮めたようなかんじの親父さんはなるほど頑固で、痛そうに腰を押さえて立つ姿勢をとりながら、畑に出て行く聡介にあれこれ指示を出した。

「てつおのやってる、何でも屋なんてのは、あれは商売じゃねえ」

というのが、親父さんの口癖でもある。

「地に足がついてねえことをやってりゃ、きっとだめになる」

もちろんまるちゃんの親父さんは聡介の前歴など知らなかったのだが、親父さんの発言はどこか、かつての自分に対する暗示のように思えてこなくもないのだった。

葡萄棚にはまだ芽が出ていなくて、茶色の細い枝が格子を伝って伸びていた。

「芽きりをすると、そこに養分が貯まるから、芽がよく育つのよ。ちょん切っちゃわないでね、すっと切れ目入れるだけ」

まるちゃんのおふくろさんは聡介に手本を見せると、さくさくと作業をすすめていく。見よう見まねで作業を開始した聡介の額には、すぐにじんわり汗が浮かんだ。

棚を見上げながらの作業は、使ったこともない筋肉をこりかたまらせ、肌を見事に日に灼《や》いていく。それでも、ゴム長を履いて踏み出すときのさっくりと土をとらえる足の裏の感覚、葡萄棚を吹き渡る風が頬を撫ぜる感触は、純粋に心地よかった。

「あんた、いいわね、楽しそう」

と、まるちゃんのおふくろさんが言った。

「そうですかねえ」

聡介はいいかげんに返事をした。いま自分はなにかを楽しむだけの余裕はないのだ、と思ってみても、たしかに聡介は、元来体を動かすことが好きなのだった。

芽きりを終えると、マジックのように芽がぽんぽん開く。茶一色だった畑に、新緑の花が咲いたようになる。

「わたしら、安心して食べるのは、自分の作った野菜と友達の作った野菜」

昼飯時になると、まるちゃんのおふくろさんは握り飯とともに、もいで洗ったばかりのセロリや、茹《ゆ》でて辛子和《からしあ》えにした菜の花などを食べさせてくれて、それがまたひどくうまい。

まるちゃんの親父さんは、

「百姓は、理想の生活」

と、腰を叩きながらうそぶいた。

「だってあんた、スーパーで売ってる有機栽培野菜なんて、八割がた嘘っぱちだもの。形悪いのを奥さんたちがより分けて、箱詰めして売ってるんだから、怖くて食べられたもんじゃないや。それだって安けりゃまあいいけど、形の揃ったのより高く売ってるなんて、こりゃもう詐欺だわな」

「百姓は日本国民の二%だから、二%の人間しかほんものの野菜を食ってないわけだ」

そう言って、夫妻は、帰り際に聡介に野菜を持たせる。

総武線の中で、あいかわらずスーツ姿の聡介がこっそりかじるセロリは、青い、元気のいい味がした。

妻には「リハビリのために友達の手伝いをすることにした」と説明し、「リハビリ」の内容と、その期間については告げなかった。

なぜだか言ってはいけないような気がして、聡介は毎日スーツで家を出る。作業着は葡萄農園に置かせてもらって、ついでに風呂ももらい、洗濯もやってもらっていた。

「あなた、毎日、なにやってるの？」

逸子も、そんなふうに訊いてくるのだが、うまく説明できずに聡介はもごもごと下を向く。しかし、夫が日に日に黒くなり、

「明日、これを料理して」

と言って、曲がったきゅうりやヒゲのついたトウモロコシを差し出すようになれば、

なにかを察することのできない妻など、いない。

「リハビリって、農家の手伝いにでも行ってるの？」

逸子がそう質問したとき、聡介はひどく動揺した。

なぜ、自分が驚くのか、理由がわからなかった。あとあと振り返ってみると、動揺したということはどこか妻に対して後ろ暗いところがあるからで、あるとすればそれは、妻に告げずになにかを進行させようという思いが、この男の胸にすでに兆《きざ》していたからとはいえないだろうか。

妻は、二人の寝室になっている部屋の隅からダンボール箱を引き出して、

「これ、なに？」

と訊ねた。

「『野菜の病害虫及び防除法』『施肥《せひ》の基礎と応用』『接ぎ木のすべて』『ブドウ・巨峰の発育診断』『果樹栽培指針』『ブドウの作業便利帳』、それから」

妻はいちいち題名を読み上げ、聡介は大量のアダルトビデオを発見された夫のようにうろたえた。もしくは、幼少時代からの怪獣コレクションを見つけられた夫のように。

「友達の親父さんが腰を悪くしてね」

ようやく聡介は逸子に白状した。

「作業を手伝ってあげてるんだけど。ほら、僕がなにかやるときって、どうしてもそう

なっちゃうの、君も知ってるだろ。ただただ人に言われたとおりにやるってことが、どうしてもできない性分なんだよ」

「ふうん」

逸子はまだ頭にクエスチョンマークを浮かべているような顔をして、話をやめた。

別に恥じらうことではない、と聡介は自分に言い聞かせた。彼にとっては、やることなすこと徹底してやる、といういつもの癖が出たにすぎなかったし、ある時点では、ほんとうに、それ以上でもそれ以下でもなかった。

柳井聡介は書き出そうと思えば履歴書が複数枚になるくらい、資格を書き出せる人間だった。スキーやダイビングのインストラクターにだって、なりたいと思えばなれたし、羽振りのよかった社長時代に、ワインエキスパートの資格も取得している。乗っている車の中身がわからないと気持ち悪い、という理由で、自動車整備士の資格まで取ってしまった。

ついでに言えば、学生時代にパン焼きに凝ったときは、北海道からわざわざ無農薬の全粒粉を取り寄せ、酵母まで自分で作って焼いていた。

そうだ、全粒粉だって、自分で作ろうと思えば作れるんだよな。

「ね、『リービッヒの法則』って、なに?」

「え?」

ある朝、目覚めると隣で妻が、不思議そうな顔をして聡介を見つめていた。

「なんでそんなこと聞くんだよ」

「寝言言ってたのよ、あなた。ものすごく、きちんとした寝言だったの」

「なんて言ってたの？」

「『その施肥の配分は、リービッヒの法則に照らして理にかなっているでしょうか』だったかなあ」

「ほんとに、そんなこと言った？」

「言った」

時計を見ると、すでに四時半だったので、

「遅れる！」

と叫んだ聡介は朝食もそこそこに服を着替えて駆け出した。

そういうわけで、いまだに逸子は「リービッヒの法則」がなんだかわかっていないが、「植物の生育は、必要な養分中、最少のものに支配される」という法則のこと。肥料は不足成分を補うために与えられるべきで、逆に過剰に与えられた成分は、植物に吸収されず、環境汚染の原因となる。

ともかく聡介は朝五時に家を出て、夕食ぎりぎりに戻り、戻っても農関係の本を手放さず、家でもパソコン作業に明け暮れることになっていった。

そして、葡萄から房が下りて、それが育っていくとともに、聡介の中でもなにかが大きく膨らんでいったのだった。

自分で育てた葡萄がいとおしくなるとともに、疑問も芽生えてきた。

「なにかもう少し、ビジネスとして」

と、聡介は考えるのだった。

「ムダを省いて収益性を高めるようなことができるのではないだろうか」

まるちゃんの親父さんとおふくろさんは、すべてを「長年の勘」に頼っていたが、もう少し科学的な分析ができそうな気がしたし、「長年のおつきあい」だけを考えるのをやめれば、コストダウンをのぞめそうな支出も気になってきた。

経営に関しては、それこそ積み重ねた知識もあり、百戦錬磨のネゴシエーターでもあったので、まるちゃんの親父さんの目の前でいつも使っている農薬を三分の二の値段まで値切ってみせて、老夫婦を仰天させた。

「あんたまあ、やり手だね」

まるちゃんのおふくろさんは言った。

「はあ、まあ、かつて、そう言われたこともあります」

単純な聡介は、気をよくした。

こうして、四月に初めて農園を訪ね、それから七月に至るまでの三ヵ月のうちに、とうとう聡介は農業オタクと化してしまった。

　まるちゃんが便利屋の仕事でもらい下げたという壊れたパソコンを、そのまま宅配便で送ってもらって修理すると、農家の一角に自前の卓を作って設置し、在庫管理から営農シミュレーションまでデータを打ち込んで、「経営戦略」と題するレポートを導き出して披露したときには、丸山夫妻はそれこそ腰を抜かし、親父さんはこんどこそほんとうに立ち上がれなくなった。

　まるちゃんの老いた母は、ふだん使うこともない老眼鏡をいやいや耳にかけてA4サイズに印刷されたレポートに目を落とすと、

「わたしら、英語はちょっと無理」

　と困ったように言って、夫に手渡した。

「STRATEGY」とか、「FIFO」とか、「HIGH　PERFORMANCE　LOW　RISKS」などと書かれた白い紙は、親父さんにもちんぷんかんぷんだった。

「わたしらは、そんなにストレーテギーに詳しくない」

　そのレポートを手にして三日後に、丸山氏は作業帰りの柳井聡介を捕まえて、夫人手づくりの惣菜を肴に焼酎を飲みながら切り出した。

「だけど、あんたが気に入った。あんた、うちの農園を居抜《いぬ》きで使わないかね」

どうかね。

まるちゃんの親父さんは眼鏡の奥から、真剣な目をのぞかせて酒を注いだ。

もちろんそんなことは論外だった。

聡介は丁重にお断りした。

「だって、お宅にはまるちゃんがいるじゃないですか」

「てつおのことなら、農家は継がないと言っている」

「それだって、最終的には土地だの家だの、まるちゃんのものになるわけだから」

「てつおにはなんにも残さんと、毎年正月に遺言に書いている」

断り続ける聡介に、親父さんは痺れを切らしたのか、とうとう八王子の「狭間」からまるちゃんが出張《でば》って来て、説得にとりかかったのにはびっくりした。

「俺は農家を継ぐ気はない」

「でも、親父さんはあんたに継いで欲しいだろう」

「俺たちはそういう関係じゃない。親父の土地も俺は欲しくない。もらったって、あんたじゃなくても誰かに売るまでだ。売ったって、たいした額にはならない」

「僕は失業中で金がない。借金もできないんだ。自己破産しちゃったんでね」

「貸すんでいいと親父は言ってる。払い方も『百姓の払い方』でいいそうだ」

「なにそれ」

「農業の世界じゃ、支払いは収穫の後なんだ。肥料でもなんでも、それを撒いて、作物が実って、採れて、売れて、金が入ってから払やいいんだ。農地を農地として続けてくれるなら、喜んで貸すよ」

どうしてそこまでして、と聡介が言いかけると、かぶせるようにしてまるちゃんは言葉を継いだ。

「親父はあんたの熱心さに参ったらしい。長いことだいじに育てた畑を、誰にやってもいいとは思えないんだろう。宅地になっちまうなんてのは、泣くに泣けないらしい。俺がいくら『売れ』って言っても、頑として譲らなかった親父が、あんたにだったら任せるって言うんだ。親父も年だ。俺はそろそろ両親を八王子に引き取ろうと思っている。それには畑のことだけがネックだったんだ。もし、俺のことを気にして遠慮してるだけで、やってみたいという気があるなら考えてくれよ」

やってみたいという気があるなら。

いったい自分には、農業をやってみたいという気があるのだろうか。

丹精こめて作った葡萄に袋掛けをしながら、柳井聡介は自問した。

やってみたいかどうかはひとまず措《お》いておくとして。

自分だったら、もう若干生産性を高める工夫をするだろう。というよりはっきり生産性と収益性のビジョンを立ててことに臨もうとするだろう。葡萄園の向こう側の遊んでいる土地、あそこにキウイを植えたら？　観光農園としての可能性をシミュレーションして。だいいち、あのホルモン剤散布には、どのような意味があるのであろうか。種のない葡萄よりも糖度の高い葡萄を消費者が求めているとしたら？

帰り道、聡介は農園の開かれた可能性について思いをめぐらせた。

めぐらせればめぐらせるほど、「ここをこうしてみたら」という案が浮かんできた。

高田馬場で西武新宿線に乗り換えながら、聡介は思わず苦笑をもらした。

やってみたいという気があるとしか、思えないではないか。まるちゃんも、まるちゃんの親父さんもおふくろさんも、「ああ、あいつは、やってみたいんだろう」と思ったに決まっているではないか。こんなにも、頭の中は葡萄でいっぱいなんだから。

それは久々に聡介を捉《とら》えた感覚だった。会社を切り盛りしていても、こんな感覚はなかった。

思えばあれは、自分には向かない職業だったかもしれない。

「ねえ、やっぱりあなたの言うとおりだった。克郎、株やってるらしい」

と、何日か前に逸子が言った。

「株とかインターネットとか、あなたがいちばん怖さを知ってるじゃない。ちょっとひと言、言ってやったら？　パパですら無理だったんだもの、克郎みたいなまともじゃないのが、やっていける世界じゃないんだから」

妻は、聡介が証券会社を辞めて起業したときも、全面的に夫の決断に従ってくれて、資金繰りが難航したときは実家の父親に泣きついて金を引き出し、どんな悲惨な状況に陥っても、夫の失策を責めたりはしなかった。

しかし妻よ、と、聡介は思った。

あれは、パパですら無理だったんじゃない、パパだから無理だったんだ。

株も、IT業界も、ちっとも好きになれなかった。好きだとか嫌いだとかいうことは、仕事を選ぶ上で口にするべきものではないと思っていた。証券会社に就職したのは、バブルのお祭り騒ぎのころで、ネット業界に転職したのも、ITバブル直前だった。利くと思っていた自慢の鼻は、ほんとうのところ、自分には向いていないものばかり、嗅《か》ぎ当てていたのかもしれない。

義弟はたしかに、めったなことでは物置から出てこない。しかし、過去二回ほど、庭を歩いている彼の姿を聡介も見かけたことがある。その姿には、なにか突き抜けた余裕すらあった。彼にとっては、物置じたいがネットの迷宮への入口で、そこからはどこでもドアのような無限の扉がいくつも口を開けていて、彼はそこで自由自在に暮らしているように感じられる。

「克郎くんみたいに、あの世界にどっぷり浸ってる世代は、どっか強いよ」

そう言うと妻は鼻の頭に皺を寄せ、パパは他人だからそうやって突き放した言い方をする、と憤慨する。

「遊んでるだけならいいかもしれないけど、株なんて、あの世間知らずに扱えるわけがないじゃないの。世代って、十四歳しか違わないじゃない、あなたと。嫌よ、弟までが」

　借金に首まで浸かるのは、と言いかけたのか、妻は気を遣って言葉を慎む。

　十四歳しか、と妻は言うが、十四歳とはなんという違いだろう。気がついたらその世界にいた克郎と、そこに鉱脈があるというぎらついた思いで飛び込んでいった自分の違いは、その十四年の年齢差に集約されるように、聡介には思える。

「それは年の差じゃなくて性格の差よ。あなたは性格が博打《ばくち》好きなのよ」

　つんと口を尖《とが》らして、もうこの話は止めだと決めたのか、妻は台所に引っ込む。

　妻ほどありがたいものはない。けれど聡介には素直に納得できる。ようするに、自分は敗退したのだ。あの世界の住人ではなかったのだ。

　さてそれでは、問題は、こんどこそ好きなことを仕事にできるのか、自分が心からその世界の住人であると思える場所が見つかるのかということだ。

　もちろん、こんどは破綻しないように綿密に計画を立てる。

　なにが流行《はや》るかではなく、なにがやりたいかを考えることだ。そして事業を拡大せずに最小限にとどめ、最大限の利益を引き出すことである。

まず第一に検討すべきは、人件費だ。一人でやるより、二人でやったほうがいいに決まっている。金の問題だけではない。それはずいぶんと、今までとは違った生き方になるだろう。しかし、その二人目を、引きずり込めるかどうかはいまだ定まっていない。

「夫婦二人三脚がいちばんいい」

握り飯をほおばりながら、まるちゃんのおふくろさんは目を細めた。

しかしこの二十一世紀に、しかも東京以外では暮らしたこともなく、働いた経験もたいしてない妻の逸子が、自分の左脚を夫の右脚に縛りつけて農作業に励むなどという無謀な真似を承知するものだろうか。

クリアしなければならない問題はいろいろある。

中学二年生の息子は、度重なる引越しに賛成するだろうか。

それとも、自分ひとりが新天地を選ぶかどうかの選択を迫られるのだろうか。

そうまでして自分は、葡萄づくりをしたいのだろうか。

もうすぐお盆、という八月の半ば、家に帰ってくつろいだ聡介は、妻と真剣に話をしなければならないと思い立った。

畑の果実は色づいて、葡萄狩りには最適のシーズンを迎えていた。

真剣には話したいが、深刻に話したくはない。できればウキウキした感じで切り出したい、と聡介は考えた。たとえばデートに誘い出すみたいに。

柳井聡介と妻の逸子がまだ若い父親と母親だったころ、二人の世界の新しい住人になった赤ん坊を間に置いて、ママゴトのように互いを「逸ちゃんママ」「聡ちゃんパパ」と呼びあったものだった。いまでもときどき、相談事や頼み事があるときに、この幼児的な呼称が聡介の口をついて出てくることがある。

デートしよう！　というのはどうだろう。

ねえ、逸ちゃんママ、週末、二人でデートしよう。

とりあえず、このデートのお誘いが初めの一歩ということになる。それから先をどうするかは、まあおいおい考えることにして——。

「ねえ、逸ちゃんママ」

妻の後ろ姿に声をかけた。

一人息子のさとるは新しい学校で初めての夏休みを迎え、友人の小宮山くんと二人で映画を見に行っていた。緋田家の離れは窓という窓が開け放たれて、冷房ではなく扇風機が、食卓に風を送っている。

六月に収穫して焼酎につけこんでおいたお手製の梅酒を、氷を入れたグラスに満たし、カラカラ言わせながらマドラーで掻きまわしていた妻が、ゆっくりと振り返る。

「なに？」

「週末、お義父《とう》さんの車借りられないかな」

「いいんじゃない？　お父さんぜんぜん使わないんだもの、たまには乗ってあげなくちゃねえ。どこ行くの？」

「――デートしようか」

グラスを盆に置くために、いったんキッチンシンクに向き直った妻が、もう一度無言でこちらを見る。

その瞳の中に現れた感情を読もうとして、聡介も身を起こし、妻の目を見つめる。

カラスとサギ

休日の上野はただでさえ人が多いところへもってきて、駅を出てから展覧会の会場にたどり着くまでには、階段を何段も上って炎天の上野公園に入り、暑い中をかなり歩かなければならなかった。途中足場の悪い玉砂利などもあり、案内板は不親切で、日傘にスーツとパンプスの緋田春子は何度かくじけそうになった。

高校時代のお友達のマチャポンが、夏に油絵の発表会があるから来ないかと誘ってくれるのは毎年のことだったが、老母のタケの介護を理由に、一度も出向いたことがなかった。それを、娘たちが二人して、

「たまには、お母さん、一人で出かけてきたら」

と言うものだから、重い腰を上げて出てきてみたけれど、重いのは腰ばかりではなく心のほうもなのだった。

マチャポンだけではなく、ヒラメもオキちゃんも来ているはずだった。ちなみにこのグループ内では、満州生まれの春子は、チュンコと呼ばれている。

仲良しの集まりに、チュンコが顔を出すのは六年ぶりだ。六年前といえば、タケもまだ元気だったたし、長女の夫は会社の社長で破竹の勢い、孫は成績優秀な小学生、次女の友恵は新婚で、克郎だってまだ、「ちょっとのんびりした長男」と言っても通る年齢だった。

ニューミレニアムがスタートして以来、緋田家の事情は一方的に下降線である。上野公園をさまよい歩く緋田春子は、汗が眉間のしわから鼻の脇に流れ、ほうれい線を伝って顎へしたたるのを、レースのハンカチで拭《ぬぐ》いながら溜め息をついた。

マチャポンの息子は家族もろとも海外赴任中で、下の娘も穏やかな結婚生活を送っているはずだった。ヒラメの一人息子は家業の呉服屋を継いでいると聞く。オキちゃんのところも男の子が二人いて、たしか二人とも立派な会社に入り、いい家庭を築いていると思う。

なんとなく、自分だけが子育てを失敗したような気がする。それも大幅に。

息もたえだえになって、ようやくたどり着いた東京都美術館の二階で、『困惑』というタイトルの絵を見せられた春子と友人たちは、還暦を過ぎてから趣味の前衛絵画に目覚めたマチャポンに対して、〈困惑〉の表情を見せたりはけっしてせず、

「もう、あなた、ほんっとに素晴らしいわ。ほんっとに素晴らしいわ。よくあなた、こういうのが描けるわ。絵が描けるってだけで、素晴らしい才能よ」

と口々に褒め称えた後、精養軒にお茶を飲みに行った。

我が家だけが、我が家だけが、と思いつめていた春子は、それでも六年ぶりに顔を見る友人たちに心の重荷を打ち明けて、慰めてもらいたいような気がした。ぼけた母にはもちろん、義歯とみょうちきりんなカタカナ外国語と囲碁にしか関心のない夫にも、我の強い娘たちにも話せない悩みと不満が、春子の胸には鬱積していたのだった。

「うちも、いろんなことがあってねえ」

おっとりと口を開いた春子は、

「なにを言ってるの、あなたのところなんか、平和そのものよ！」

というヒラメのひと言をカウンターパンチのように食らって、開けたはずの口を閉じる羽目に至った。

その後、ヒラメの夫の糖尿病や、オキちゃんの夫の心臓疾患、ヒラメのお嫁さんが二番目の子どもを生むときになった股関節脱臼《だっきゅう》、オキちゃんの息子の椎間板《ついかんばん》ヘルニア、ヒラメの友達の夫の壮絶ながん治療、脳梗塞《のうこうそく》で植物状態が続くオキちゃんの友達の夫、ヒラメの緑内障の進行、オキちゃんが子宮を全摘したとき縫合の際にヘマをやらかしたに違いないヤブ医者、といった具合に、延々と話は続き、チュンコが口を挟む隙など、まるでないのだった。

やや遅れて、マチャポンが現れたときは、こんどこそ胸のつかえを下ろしたい気持ち

から、春子はとうとう、

「下の娘が離婚したのね、それで」

までは切り出したのだが、

「あらまあ、友恵ちゃんが？　たいへんねえ」

と、しばしの同情は引きつけたものの、話は同窓生の娘や息子にいかに離婚が多いかに流れていき、生活力のある友恵はその中ではましな事例だというところに落ち着く。

「上の娘のダンナの事業が立ち行かなくなっちゃったのね、それで」

「いちばん下のが、まだぶらぶらしてうちにいるのね、それで」

春子にしては果敢に、会話に割り込んでみたのだが、

「だけどあなた、そうは言っても、チュンコのところは、平和よ」

というマチャポンの意見が結局、続きを封じてしまった。

「だって、チュンコには『嫁』がいないんだもの」

そうよ、チュンコには「嫁」がいないわ、と、あとの二人も同調した。

そこで話題は、三歳になる孫を二度しか連れてきてくれないオキちゃんの次男の嫁やら、一時帰国した際に猛然と掃除を始めてタオルやら食器やらを勝手に捨ててしまい「買い替えておきましたから」と平然としているマチャポンの嫁、呉服屋に嫁いで十年になるのにいまだに着物の知識が身につかないヒラメのお嫁さんなどに移っていき、お

となしいチュンコは過去五十年ずっとそうしてきたように、相槌を打ち続けた。

帰り際、マチャポンは、春子の肩に手を添え、

「嬉しいわあ、チュンコに会えるなんて、ずいぶん久しぶりだもの」

と言った。

「ほんとよ、久しぶり」

「チュンコ、なかなか出て来られないものねえ」

オキちゃんとヒラメがかぶせるように言い、

「それであなた、お母様のおかげんはどうなの？」

マチャポンが深く同情を寄せるように訊いたので、

「おかげさまで、お薬が合ったみたいで、わりあいと具合がいいの」

ほんとうは話したいのはそこのところじゃないのよ、という思いを押し殺して春子が答えると、

「まあ、よかったわねえ。チュンコはなんのかんの言って、お幸せよ」

満足げに首を振りながらマチャポンが断言した。

そう言われてみると、とくに言い返すこともできないような気がした。

世の中には、もっと究極の不幸というものが存在する。闘病の苛酷さは言うに及ばず、

同じ破産でも逸子のところは一家心中したわけでもなし、克郎が家庭内暴力だのネット犯罪だのに走っているわけでもない。友恵の離婚と予想外の妊娠は頭痛の種だが、生まれてくる命に罪はないのだし、もっとひどい夫婦別れの例などいくらも聞く。緋田家の事情など、よそに比べれば問題外かもしれない。

だいいち、春子の不満は、子どもたちが抱えるそれぞれの状況そのものとは、ややずれたところに浮上する。もっと、些細なこと、些細だけれども、気になること、癇《かん》に障ること、耐え難いこと、その積み重ねなのだった。

たとえば今日だって、娘たちが出かけろ、出かけろ、というから出てきたけれど、

「お母さんもたまには外で息抜きしていらっしゃい」

と、これではまるで思いやりのふりをした命令みたいだ。

長女の逸子はパン屋のパートに出ているし、次女の友恵は不規則な仕事ぶりで妊婦のくせに地方出張まであり、家族みんなのスケジュールを聞いてまわるのが、今年に入って以来、春子の重要な仕事だった。娘にしてみれば、お母さんにも休んでもらいたいというつもりらしいが、いつ休んで、どこに出かけるかは、こちらの勝手にさせてもらいたい。自分たちが休みだから、お母さんは出かけなさいと、そういうのは順番が違うだろう。

「ご飯もおばあちゃんの世話も私がするわ」

そう、逸子は言うのだが、あんな大雑把な性格の長女に、ほんとにやりきれるもんだろうか。おばあちゃんのことは、ヘルパーさんが来てくれるから安心だけれど、それにしても家事のあれこれが、出先でも気になってしかたがない。

いつだったか、やはり逸子にすべてをまかせて出かけたら、味噌汁にも中華風炒め物にも椎茸《しいたけ》が入っていて、帰宅した春子は心を痛めたものだった。

家を出て十数年も経つと、父親の苦手な食べ物も忘れてしまうのだろうか。ああ、だめだめ、逸子ちゃん、お父さんは椎茸食べられないのよ。いいわ、私いま、作り直すわ、お父さんの分だけ。そう言うと娘は平然として、いいじゃないのたまには、食べるよね、お父さん、と言い放つ。

さらに驚いたことには、あの龍太郎が、文句も言わずに椎茸を食べるではないか。そのことを思い出すと、春子の胸に、むくむくと怒りがよみがえってきた。

自分は、四十年間、好きな椎茸も我慢して、夫の好物を、作り続けてきた。椎茸は、夫の、不在の、ときにしか、料理しなかった。食べられるなんて、知らなかった。四十年も、私は、騙されていたのよ！

ここよ、ここがキモなのよ、と、春子は銀座線の優先席で二つの拳をぎゅっと握り締めた。

もちろん、些細なことである。つまらないことである。しかし、日常は、些細なことでできている。いままで別々に暮らしていた人間がいっしょにいるとなると、いろんなところで調子が狂うのだ。

大阪時代の友恵は、しょっちゅう電話をかけてきて、愚痴をこぼしたものだった。勝気なわりには弱いところがあって、春子もずいぶん相談に乗ってやった。

ところが大きなお腹を抱えて出戻ってみると、母になる充実感からかなんなのか、勝気に妙な自信が加わって、どうにも可愛げが減ってきている。大阪からたまに帰って来るぶんには、あの甘えも許せたが、自分は働いているからと、炊事も洗濯も春子任せで、あれではまるで夫が二人になったようである。このまま出産の日を迎えれば、生まれてくる子どもの世話もすべて押しつけられるのではないかと思うと、行き場のない思いが春子の胸を塞いだ。しかも、髪の毛の半分が緑で、半分が黄色の、若い男の子が子どもの父親……。やはり、どこかで自分は子育てを間違えたに違いない。

「おばあちゃんの世話も私たちがするわ」

などと、口でならいくらでも言えるが、四六時中、なんでもなくても「春子、春子」と娘を呼びつけるタケの世話など、やりたきゃやってみるがいい、一日で音《ね》を上げるから、と、春子は怖い顔をして考え続ける。

こうしてみると、見事に存在感のない長男の克郎は、いまとなっては、「母親に与えるストレスがもっとも少ない子ども」と言えなくもなかった。買い置きのパンや麺類《めんるい》さえ切らさなければ、幽霊のような息子は一人でどうにでも生きていけるようだった。けれども、これだって、母の胃に穴を開けそうな人物である事実が変化したわけではない。間違った子育てといえば、これほどの間違いは考えられないほどだ。

地下鉄を乗り継いで荻窪駅に降りたち、汗をふきふき乗り込んだバスの中でも、憂鬱は増すばかりだった。

（お幸せよ）

マチャポンの最後のひと言が、皮肉な調子で耳に響く。

「疲れたわ」

バスを降りて、家へと向かう道すがら、誰にともなく春子はつぶやいた。

難題にぶちあたった娘や息子に、手を差し伸べるにやぶさかではないつもりだが、果たしてあのいい年をした子どもたちは、私が人生の最終章を生きつつある年齢だということを、どれくらいわかっているのだろうか。むろん、九十過ぎの実母を思うと、あと二十年かそこら、生きていることになるかもしれないけれども、考えてみれば六十代のいまこそ、ほんとうは自分自身のために生きてもいい年齢なのではないだろうか。

事実、マチャポンがああして抽象画を描き始めたのは、六十の誕生日を過ぎてからなのだし、ヒラメがぶつぶつ文句を言いながら呉服屋のおかみさんを嫁に譲ったのも、オキちゃんが趣味の水泳を復活させたのも、ここ五、六年の間のことだった。

五、六年といえば、六歳年下のヒラメの妹さんは、例の「熟年離婚」に打って出るという。長年稼いでくれた夫に離婚届をつきつけ、退職金の半分を貰うとかの、あのなんともせちがらい流行は、いつの時代も世間を騒がせずにはいない、やたら人数の多いベビーブーマー世代のやらかしそうなことだ。とはいうものの、還暦を迎え、自分の人生を見直したい気持ちに駆られるのは、春子にも理解できる衝動なのだった。

「疲れちゃった」

同じ言葉が、また口をついて出てきた。

そんなに多くは望まない。ただ、年を取ってくると、単調で平穏な生活を乱されるのは不快で不都合なことなのだ。それを誰かにわかってほしい。離れにタケがいて、幽霊みたいな長男を二階に住まわせ、夫と二人で過ごしていた日常は、いまとなっては静かな日々だった。憂しとみし世ぞいまは恋しき。出てってほしい——。

穏やかでないフレーズを頭に浮かべたところで目を上げると、通りの向こうから見知った顔が近づいてきて、

「おや、どちらか、お出かけでしたか」

と、愛想のいい笑顔を向けた。夫、龍太郎の囲碁友達、近隣の女子大を定年退職したばかりの川島先生だった。

「ええ、高校の同級生の絵の展覧会へ」

「たまには、お友達と、息を抜かれるのもいいですねえ」

「どうなんでしょう、慣れない都心なんかに行くと、かえって疲れてしまって。あれこれ用事もしたかったんですけど、予定より早く帰ってきてしまいましたわ」

「今日はまた、暑いですからねえ」

「暑いですわねえ、今日は」

「どうです、そこでアイスコーヒーでも。ご馳走しますよ」

川島先生が指差したのは、緋田家からは目と鼻の先にある区民センターの一階の、〈ダンデライオン〉という名前の喫茶店だった。

「龍太郎先生も、もうじき来ますから。駅前の囲碁サロンが休みだったんで、今日はその娯楽室で打とうと、昼前に電話しましてね。四時の約束なんですが、少し前に着いちゃった。一人でそれこそコーヒーでも飲もうかと思ってたところです」

「あらまあ」

「行きましょう、行きましょう。まだ帰らなくたっていいんでしょう？　龍太郎先生をびっくりさせちゃいましょう」

細面で白髪に眼鏡のインテリ紳士は、春子の両肩に手をかけ、回れ右の姿勢をとらせた。

たしかに、帰宅は五時過ぎだと言って出てきているのだし、夕食は娘が作る予定になっているのだから、あわてて帰ることもない。そういえば喉がかわいたわ。

春子は川島先生に押されるままに、〈ダンデライオン〉に入っていった。

話は成り行きで春子の愚痴になったが、コーヒーを注文し、煙草をくゆらせながら、川島先生はのんびりと話を聞いていた。

「いやだわ、私。こんなことばかりお話しして。お退屈でしたわね」

「いえいえ、そんなことはありません」

目の前の元大学教授は、煙草の火を灰皿に押しつけると、まじめな様子でそう言った。

「娘たちが結婚して家を出て行ったときは、ああこれで親の仕事も一段落だ、あとは年取った母を看取るのが私の役目、と思いましたのに、息子は一向に動こうとしませんし、娘たちがああして戻ってきて。私はよっぽど子育てに向きませんでしたのね」

「そんなことはありません。大変な状況を抱えながらも、揉め事もなくみなさん暮らしていらっしゃる。それだけでも、緋田家の家風の良さを、私は感じます」

まあ、そんなこと……。下を向いてから見上げた白髪紳士の眼鏡の奥の目は優しく、落ち込んだ春子を勇気づける輝きを放っていた。

「いっしょに暮らしておりますと、あまりにちっぽけなことに苛々《いらいら》してしまって、なんだか私、こんなに人間の出来が悪かったのかと、情けなくなりますの」

「それはむしろ人間が高尚だからです、奥さん。神は細部に宿る、というのは芸術を語るのに使う言葉ですが、たいせつなことはすべて、細部に顕《あら》われるものです。それに気づくのは、精神が繊細にできているからなのですな」

あら、まあ……。春子はガムシロップを溶かしたアイスコーヒーを、意味もなくくるくる掻き回した。なにか、この先生のおっしゃることには、説得力があるわ――。

「それに奥さんの悩みはちっぽけじゃありません。いつの世にも、その時代なりの困難がありますが、私たちはこれで、ずいぶん生き辛い時代を迎えているのです」

「はあ」

「戦後の日本人が敷設《ふせつ》してきたレールが、ここ十年ほどで一気にがたがたになってしまった。お子さんたちはみな、明日の定かでない日々を生きざるを得なくなりました。そのくせレールにしがみついた者が勝ちで、外れた者が負けだと、負けるのは負ける者の責任だと、身も蓋もない論理がまかり通る。ふざけた話ではありませんか。奥さんまでもがそんなものの犠牲になって、自分の生き方や子育てを責める必要はないのです。理念なき資本主義を垂れ流すように推奨し、ケインズも知らない若造が国会議員だという。どう考えても間違っていますよ。奥さんの悩みはひとりで抱え込むべきことではないのです。日本人すべてが分かち合うべき課題です」

ケインズ……？　口ごもりつつも仰ぎ見ると白髪紳士は、目を閉じてうんむとうなずいてみせた。こういう立派なことは、大学で教えてらした方じゃないとなかなか言えることではないわ、と、春子はすっかり敬服の念に打たれた。

「私ばっかりキリキリ舞いして、主人はあのとおりマイペースなのだから、いやになってしまいます」

「あれはあれでいいのです。あれくらい春風駘蕩《しゅんぷうたいとう》としておられなければ、緋田家のごとき平成大家族の家長は務まりません。私のような小人《しょうじん》では、まったく器が不足しております」

そのとき唐突に、バッグから、〈夕焼け小焼け〉のメロディが鳴り響き、慌てた春子がおたおたしているうちに、その調子外れの音楽が止む。

「携帯ですか?」

「どうせ娘ですわ。まだ誰にも番号を教えてないんですもの」

「私に遠慮せず、かけてください」

「いいんです。ここから家まで二分ですもの。帰ってからにしてもらいます」

こんなのだって、ちっとも持ちたくなかったのに、娘たちが、持ってもらわないと困りますとか言って、母の日にくれたけれども、はっきり言って使い方がよくわからないし、持って出るのを忘れたとか、かけても出なかったとか責められるのもいやだし、どうせならもっと欲しいものもあったと、またぞろ不満が首をもたげる。

「ちょっと見せてください」

元大学教授は携帯電話を取り上げ、しばらくカチャカチャといじくっていたが、

「あれ、まだメール機能を設定してないな」

と言うなり、

「アドレスは、ハルコエイチでいいですか」

と、訊ねた。

「は？」

「あ、だめだ。ハルコエイチ使ってる。お生まれは失礼ですが、何年ですか？」

「昭和十五年ですが」

「私は十二年です。じゃ、ハルコエイチ15にしよう。あれ、だめだ。ハルコエイチ15も使ってる。なにか、あだ名のようなものをお持ちですか」

「私の？」

「はい」

「チュンコ」

「チュンコエイチ15にしよう。おお、登録できた。これでメールアドレスができました」

「先生、私、なにがなにやら」

「これです。いま、私が送ってみますから、届いたらこの封筒のマークを押してください」

川島元教授は春子の手に携帯を握らせ、右手だけで器用に自分の携帯を扱う。

「送信」

と、元教授が言ったのとほぼ同時に、ピリピリと電子音が手元の携帯から響き、封筒マークを押すと、電子メールが届いていた。〈返信してみてください〉と、簡潔な一文がそこにはあった。

「そこの、左上の小さいボタンを押すと、返信ができます。文字を打つのは」

「あ、ダメ。私、消しちゃった」

「ん?　いや、消えてません。だいじょうぶ。文字の説明は、こんどお宅へ伺ったときにでもしましょう」

川島先生は、携帯を握る春子の右手にそっと手を添えて手首を返させ、液晶画面を確認した。乾いた温かい手だった。春子は自分のおっちょこちょいに気づいて、笑い出したが、笑うと今朝からの苛立ちがほぐされて、体から抜け出ていくような感覚があった。

「独り者の気楽さで言っていると思われるかもしれませんが、私は緋田さんのお家がうらやましいときがありますよ」

そうしみじみ言う川島先生はたしかに子どもには恵まれず、十年以上前に奥さんを亡くして以来、大きな家にひとりで暮らしているのだった。

「幸せだと、今日も友達に言われましたわ」

汗をかいたコップにハンカチを巻きつけて、もう味のしなくなったアイスコーヒーをストローで吸い上げる春子を見ていた川島先生は、まるで、困った挙句に泣き出してしまいそうな表情を浮かべて、

「私がうらやましいのはむしろ、奥さんの抱えている煩わしさの多さゆえなんですが、そんなことを言ったら叱られるでしょう」

と言い、もう一度春子の携帯を手にして、

「おや、留守電にメッセージが入っていますよ」

と続け、ボタン操作をして、春子の耳に携帯を当てた。昭和十二年と昭和十五年の顔は、大胆なくらい接近した。

よく、聞こえない。春子は川島先生に操作方法を確認して、こんどはしっかり携帯端末を耳に押しつけた。次女の友恵からだった。

なにごとが起こったのかを理解するのには、次女の言葉を何度も頭の中で繰り返さなければならなかった。

それから、よろよろと、春子は〈ダンデライオン〉の椅子から立ち上がり、

「主人が、脳梗塞で倒れて、救急車で運ばれました」

と、言った。

大急ぎで家に戻ると、ひどい顔色の妊婦が報告する。

「書斎で倒れていたのを、逸ちゃんが発見したの。たったいま、救急車来てたんだけど、そのへんで見なかった？　とにかくタクシーで追いかけて。荻窪中央病院に行くって言ってたから」

どこか責めるような調子の声に急《せ》き立てられて、春子は置いたばかりのハンドバッグをつかんで飛び出した。

「緋田さん！」

大きな声がする方角を見ると、さきほどの川島先生がタクシーの脇で手を振っていて、

「つかまえておきました」

というのに促されて車に乗り込んだ。

今日一日、自分はいったいなにをしていたのだろう――。

タクシーの後部座席に張られた合成皮革の硬そうな縫い目と縫い目の間にぼんやり目をやると、そのまま、ふと気を失ってしまいそうな頼りなさが春子をとらえた。

（癌《がん》も糖尿も怖いけど、脳梗塞は悲惨ね）

頭の中に、昼間聞いたオキちゃんの声が響いた。

（運よく一命をとりとめても後遺症が残る。寝たきりになる。家族がたいへんよ。寝たきりにならなかったらいいほうかというと、しゃべれない、歩けない。リハビリすればっていうけど、それがもう、辛くて辛くて、普通の人は耐えられないらしい。それで鬱を併発するの。脳梗塞から鬱になって寝たきりに行く人もいるわけでしょう——）

鬱？　寝たきり？　運よく一命をとりとめても？

運転席の、細く開いた窓から飛び込んだか、ミルクバッタが、合皮の縫い目に脚を取られて、苦しげにその小さい翅《はね》をバタつかせる。救おうと思って手を伸ばしたとたん、運悪く赤信号で車が止まり、春子の指には虫を押しつぶしたときのいやな黄緑色の汁がつく。喉の奥が膨らんでくる。唾を呑みこむとそこがからからにかわいていた。

（春子さんは、同窓会ですか。ボクを置いてね）

今朝の夫の最後の言葉はこうだった。拗《す》ねた後ろ姿が、脳裏によみがえる。

タクシーが外来入口に到着し、春子は紙幣を運転手に握らせて、転がるようにして走り出した。

脳神経外科の待合所のソファには、逸子がひとり腰かけていた。

「ああ、お母さん、来たの」

どこか間の抜けた空気を漂わせた娘は、母に語りかける。

「お父さんは、検査してもらってる。それでね、あのねえ、お母さん……」

数時間後、春子は、荻窪中央病院の個室ベッドに横たわる龍太郎の足元に呆然と立っていた。

「さっきから頭の中を同じ歌がぐるぐる回っているんだね。『とけて流れりゃ、みな同じ』というんだが、これ、なんだったかな」

ベッドの上の龍太郎は、右手の人差し指を指揮棒を振るように動かしながら、ぱくぱく口を動かす。

「お座敷小唄」

ベッドの脇の丸椅子に腰かけた逸子が、抑揚のない口調で答える。

「おう、そうだった。しかし、なんでこんな歌が頭を離れないんだろう」

「お父さんの血栓が、とけて流れたから」

これもまた無表情に、逸子が言う。

「おう、そうか。そういうつながりか。なるほど理に適《かな》っているね」

なにがどう理に適っているのだか、春子にはまるでわからなかった。

だいいち、脳梗塞で倒れたはずの夫が、どうして歌を歌っているのか。

「脳梗塞じゃないんだって。一過性脳虚血発作っていうのなんだって」

「書斎で入れ歯の型を整理していたら、突然目の前が真っ暗になって、足に力が入らず昏倒《こんとう》したんだ、びっくりしたね」

「大きな音がしたので見に行ったら倒れていて、慌てて救急車呼んだのよね」

「救急車が来るころには症状もほぼ治まってたんだが、せっかく来ていただいたのにそれじゃあ悪いと思って」

「お父さん、気を失ったふりをしていたらしいの」

「いや、ふりというわけじゃない。車の中で『もうだいじょうぶです』と言ったじゃないか。そうしたら『それでも検査は必要です』と、救急車の人が言ったんだよ」

「原因は血栓が脳の動脈に詰まったせいらしいんだけど、それが三十分くらいで、とけて流れて、なんていうか、治っちゃったのよ」

「それでもCTだの脳血管造影だのしましたよ。帰ってもいいと言われたけど、一応ここが空いているというんでね、一日くらい泊めてもらおうということになって」

「一度これをやった人は数年以内に脳梗塞になる確率が高いんだそうで、ともかく心臓やなんかも明日ゆっくり検査して、それから予防治療を考えましょうとかって言われて。検査期間中、ずっと入院する人もいるみたいなんだけど」

「そんなのは嫌ですからね。だいいち、今日帰ってもいい人間をあんた、医者だって長期入院させる気はないだろうよ」

「そういうことで、お母さん、脳梗塞じゃあ、なかったの」

事の次第がいまだよくのみこめずに混乱している春子のバッグの中で、ピリピリピリとメール着信音が響いた。

「あら、お母さん、着メロは〈夕焼け小焼け〉じゃなかったの?」

「春子さん、病院で携帯電話はまずいですよ」

そう立て続けに言われて、慌てて携帯電話を開いた春子は、そこに「川島です」という文字を発見して、さらに慌てた。

「あ、そうだ、春子さん、川島先生に電話しといてくれるかな?」

「なんですって?」

春子は思わず携帯を取り落としそうになる。

「今日、四時に区民センターで会うことにしてあったのを、すっぽかしちゃったんだ。元気ですのでまた日を改めて〈烏鷺《うろ》の争い〉をいたしましょうと、伝えてもらいたい」

「ウロのなに?」

「ウロノアラソイだよ。逸子も教養がないね」

「なにそれ」

「烏鷺のウは、カラス。ロはサギだ。烏は黒、鷺は白。〈烏鷺の争い〉とは、碁の勝負のことですよ」

もう眠るという龍太郎を残し、翌日の午前中にまた来ることを決めて、春子と逸子は病室を出た。病院前で拾ったタクシーの中の春子は無口で、逸子が話しかけてもはかばかしく返事をしなかった。

家に辿りついて、心配していた友恵や聡介に経過報告をしたのは逸子で、春子は少し疲れたからと、先に二階の寝室に引き上げた。

化粧を落とし、寝巻に着替え、ベッドの端に腰を下ろすと、春子はバッグから携帯電話を取り出し、しばらくぼんやり見つめ、それからぱかりとそれを開いて、封筒マークをプッシュした。

（こんなときに不謹慎だと思われるかもしれません。しかし、私は昼間お見かけした春子さんの思いつめた表情が忘れられません。龍太郎先生になにかあったら、私を頼ってください。あなたの力になりたいのです。——川島光彦）

春子はそのメールをゆっくり、三回、読んだ。そして携帯を閉じ、また開いて、さらに四回、読んだ。立ち上がり、数歩すすんで、鏡台の前に座り、伏せた丸い手鏡の上に電話を置くと、黒いガラス瓶の蓋を開けて指にナイトクリームをからませ、額から首筋までまんべんなく塗りこんだ。

そうしておいて、一家の主婦は、娘の買ってくれた薄桃色の携帯電話を再び取り上げ、両手で包み込んだが、こんどはもう開こうとせずに、夫のいない寝室のカーテンの襞の奥に目をやる。

なんて日だろう――。

小さな欠伸《あくび》をし、右手を上げて額の髪をかきあげ、それから人差し指と親指を、閉じた目頭に当てた。我知らず、ふぅっと息が漏れた。たしかに疲れている。

そのまま眠ったかのように動かなかった彼女は、ややあって意を決したように目を開く。

長い、長い、一日の最後に、春子は小さな微笑を鏡の中の自分に許した。

不存在の証明

友恵が赤ん坊を産んだのは、十月一日のことだった。

病院に駆けつけて陣痛室でねばること丸二日、ようやく分娩台に上がったときになって、赤ん坊が産道を通る、その通り方がおかしい、「回旋異常」なるものを指摘され、微弱陣痛と高齢を理由に、医者を半分脅《おど》すようにして、帝王切開で取り出してもらった。

結局、自分の力では出てこなかったこの子も、「緋田家の血」が色濃く流れた、他力本願体質に違いないと、祖母の春子があまりうれしくない予言に及んだ。

その子は母親の友恵を筆頭者とする戸籍に、「緋田健太郎《けんたろう》」という名前で届け出されることになる。

全身を赤く染め、力の限り泣き喚《わめ》いて食事をねだる、幼い健太郎は、小さな両手と口をせっせと動かして乳を吸い込むときには、なにかたいへんな悩み事を抱え込んだような表情になった。

また、彼の苦悩が頂点に達するのは、乳の栄養が体内に吸収されて、不要物が便として排出される前の何十秒かであった。

　両手に小さなこぶしを作り、演説でもするようにそれを力強く振りながら、彼は顔をまっ赤にして、腸の活動を促すのだった。

　その姿はまるで、日本の複雑な戸籍事情のために、「緋田健太郎」という名を得るのにたいそう時間がかかることに対して、幼いながら、怒りが隠しきれない、といった様子だった。


　まだ健太郎が腹の中にいて、「健太郎」という名を与えられず、「赤ちゃん」とか、「ぽよぽよちゃん」とか、いいかげんな名前で呼ばれていたころのことだ。妊婦の友恵は、インターネットで仰天させられる事実を発見した。

　離婚してから三百日以内に生まれた子どもは、婚姻中に懐胎したものと推定され、前夫の戸籍に入る、民法七七二条「嫡出《ちゃくしゅつ》推定」の規定だった。

　友恵が尾崎《おざき》和仁と離婚したのは、二〇〇五年の暮れだった。友恵はおおあわてで母子手帳を確認した。あきらかに出産予定日は、離婚後三百日以内だった。

　漆畑慎吾を生物学上の父に持ち、シングルマザーの友恵の長男となる予定の健太郎は、現行民法では、その出生届が、別れた和仁の子としてしか受理されない。つまり、健太郎は和仁の戸籍に入り、「尾崎健太郎」という名前になってしまう。

これを止めるには、「前夫の子であるという推定」をひっくりかえさなければならず、裁判を起こして、必要ならＤＮＡ鑑定もし、和仁と「ぽよぽよちゃん」の親子関係が「不存在」であることを証明しなければならないのだ。

友恵が健太郎を出産した翌年になって、この民法七七二条「嫡出推定」には異が唱えられ、「離婚後に妊娠したことを証明する医師の証明書があれば前夫の子として扱わない」という法務省通達が、すったもんだの末になされた。その結果、ともかく健太郎のようなケースは、裁判だのＤＮＡ鑑定だのを経なくても母親の戸籍に入れてもらえることになった。

しかし、健太郎が生を受けたのは二〇〇六年秋で、緋田友恵がとつぜん民法知識に目覚めたのは、その三ヵ月ほどまえの夏だった。

「じょうだんじゃない」

腹ぼての友恵は、大股に広げた太ももの上に腹を載せるような姿勢でパソコン画面を見つめ、ひとりぶつぶつ、つぶやいた。

「ぽよぽよちゃんは、和仁となんの関係もないわよ。わたしの戸籍に入ってもらわなきゃ困るわ」

安定期に入って胸のむかつきも治まり、日ごとに母となる喜びを噛みしめていた友恵は、生来のきちょうめんな性格も手伝って、しゃきしゃきと法的手続きの準備を始めた。

そこで二〇〇六年七月、ぽよぽよちゃんを腹にしこんだ友恵は飛行機に乗り、和仁のいる沖縄の地へと飛ぶ。

この沖縄行きに関しては、緋田家でちょっとした誤解がおこった。

友恵の子どものほんとうの父親を、とうとう最後まで知らされていなかった当主の緋田龍太郎が、得意満面で妻の春子に講釈を垂れたのだ。

「ほらみなさい。和仁くんとしっかり話し合ったほうがいいと、ボクは前から一貫して言い続けたでしょう。春子さんは、途中から日和見《ひよりみ》主義にとらわれて、ひとりで産めばいいなんて言ってたけれども、友恵もボクの真摯《しんし》な助言に従ったということだよ」

そうですかしら、と気のない返事をして、春子はこっそり溜め息をついた。

「これで和仁くんとのヨリも、あんがい、すんなり戻るんじゃないか？　子はカスガイって、志ん生の落語を思い出す。泣かずにはおられない名演ですよ。『あたいがカスガイ？　それで、母ちゃんはおいらの頭を金槌《かなづち》で撲《ぶ》とうとしたんだ！』という、アレね」

聞けば聞くほど龍太郎の現状分析は実態とずれていた。

しかし、いずれにしても、この件に関して龍太郎が出る幕はまるでなかった。

はっきり言って、ほとんど誰の出る幕もなかった。

ただ、青天の霹靂《へきれき》のように、沖縄の和仁が舞台にひっぱり出されたことをのぞいては。

どうしても頼みたいことがあるから会ってほしいという連絡をもらい、尾崎和仁は空港に元妻を迎えに出向いた。

「こういうことって、手紙なんかじゃ、いやだと思ったの」

そう言ってのける友恵を前にした和仁は、その膨らんだ腹を見るなり、

「手紙でよかったと思うよ」

と、言った。

元夫婦は、海沿いのレストランで夕食をとった。

「で？　いつ、そんなことになったの？」

二人が別れるにいたった理由は、つきつめればさまざまあったが、子どもができなかったことも大きな要因ではあった。そのことを考えているのかいないのか、どちらにしても和仁の対応は、かつてと同じに淡々としていた。

「別れた後よ、もちろん。ぼんやりしてたの。心細いところもあったしね。それで、うっかり避妊を怠ったといいますか……」

「うっかりねえ」

元妻は、下を向き、二人に微妙な間が流れた。

「それで、俺はなにをすればいいの？」

ひとりだけ泡盛を頼んで、喉を湿らせながら和仁が訊ねた。友恵は「離婚後三百日規定」と「親子関係不存在証明」について、簡潔に説明した。

「なるほど」

と、和仁が言った。

「いちばん正確に『不存在証明』ができるのは、ＤＮＡ鑑定でしょ。血液型だと不正確だし、だいいち、時間がかかるみたいなの。赤ちゃんの血液型って、一歳くらいにならないとちゃんとわからないのね。その点、ＤＮＡ鑑定なら、いまは唾液で簡単にできるから。生まれたらすぐ、子どものと、和くんのと、採った唾液を鑑定してもらおうと思うの。東京まで来る必要はないわ。鑑定センターの人に沖縄まで出張してもらうようにするから。当たり前だけど、費用はぜんぶ持つつもり。和くんの都合のいい日に協力してもらえたらと思って。鑑定結果を持って調停へ、という段取りにしたいの。いちばんスピーディーだから」

「スピーディーねえ」

元妻は目を伏せ、またも二人の間に不自然な空気が流れた。

「非難してるわけじゃないよ。変わんねえなと、思っただけだ」

そう、和仁が言ったので、友恵は苦笑した。

しばらく見ない間に、和仁はすっかり日に灼け、少し体格もよくなり、髪も以前より茶色っぽくなっていた。着ているのはポロシャツとショートパンツで、足元は島ぞうりだった。スーツが多かった大阪時代とは、別人のような風体だった。しかし、風体だけなら、妊娠中の友恵だって、「変わらない」とはいえない姿である。

「相手は？」

「うん？」

「どんな男？」

「ああ、うん……」

　理路整然と法的手続きを説明していた元妻は、とつぜん口ごもった。

「言いたくなきゃ、言わなくてもいいけど」

「や、そういうわけじゃなくて」

　友恵の頭には、うるうるしんごの顔が浮かんだ。彼と初めて会って関係を持ったのは、まだ和仁と結婚していて、和仁の浮気が発覚した後だった。

「若手の芸人さん」

「ああ、あいつ？」

「言いにくいけど、そう。でも、あの後は別れた。今年の一月に再会したの」

「で、うっかり？」

「うん」

　茶髪がやや長めに目のあたりを覆う和仁は、はーん、と首をかしげるようにして、宙を睨み、前髪を揺すって払った。

「それで、その後うまく行ってるの？」

「それは……」

元妻はまたまた口ごもった。

うるうるしんごに、妊娠の事実を話したのは、六月の半ばだった。産みたい、産むつもりだと、友恵にしてはずいぶん静かに話した。十四歳年下の芸人の卵は、なにが起こったのかよくわからないような顔をして、なにも言わずに聞いていた。

その後、しんごは大阪に戻った。四月の番組改編でなくなってしまった、地元ローカル放送の幼児番組『パオパオ・キンダ』が、九月にリニューアルするのだとかで、再度リポーターに起用されたのが理由だった。

それ以来、二人は会っていなかった。

「ちょっと、痛い話だな。友ちゃんは、もっと、なんていうか、先を見てものごと進めるタイプだと思ってたけど」

和仁は煙草を取り出して、火をつけようとして、やめた。

「それ、やめたのよ」

「なにを？」

「先を見てものごと進めるの。そのせいでいろいろ、失敗しちゃったと思ってるから」

「俺とのことを言ってるの？」

「も、含めていろんなこと」

「でも、だからって、ずいぶん極端に」

「そうね。そう見えるのはわかってるけど、だいじなのは、今年になってやったことで後悔したことがひとつもないってことなの」

「それは、俺といたころは」

　言いかける和仁をさえぎって、友恵は少しだけ笑う。

「そんなになにもかもいっしょにいたころとくらべないで。結婚したことだって、後悔なんかしてないよ。行き当たりばったりなのはほんとだけど、投げやりに生きてるわけじゃないからだいじょうぶだって言いたいだけだよ」

「そう」

「吸ってもいいよ。あっち向いて、フーッてやって」

　友恵は、和仁の手元で、箱から出たり引っ込んだりしている煙草を見ながら言う。あ、じゃ、と言って、和仁はようやく火をつけた。

「とにかく俺がやることは、みんな、子どもが生まれた後の話だな?」

「うん、そう。でも、生まれてからいきなり連絡したくなかったの。話だけ、聞いといてもらおうと思って」

「悪いけど、調停には行かないよ。沖縄から行くのはめんどくさいから。そのかわり、うまくいくために必要な書類は全部用意する。その、DNA鑑定にも協力する。別居してたことを証明するものとか、あったほうがいいだろう。弁護士が決まったら俺の連絡先知らせて、直接電話してくれって言って」

「ありがとう」

「それが、別れた夫がしてやれる唯一のことなんだろ?」

「唯一にして最大の、余人《よじん》をもって代え難い偉業よ」

沖縄まで来たかいがあったわと、友恵は鼻を膨らませた。息を吐き出すような、笑うような音を出した和仁は、長くなった白い灰を灰皿に落とし、こう続けた。

「だけどさ、俺だったら、こんなことはしないね」

「え?」

「こんなめんどくさいことは。だって、ようするに離婚後三百日過ぎてから生まれりゃ、なんの問題もなくなるわけだろ? そのお腹の子は、いったい離婚後何日くらいで生まれる計算になるの?」

「二百、八十日くらいかな」

「たったの三週間だよ! そんなの、医者を抱きこんで出生日を三週間、遅らせりゃいいだけの話だ。一銭もかからない」

友恵は呆けたような顔になり、目をきょろきょろさせながらしばし考えていた。それ

からおもむろに口を開き、

「でも、そうすると、予防注射とか、困らない？」

と、言った。

「だから、医者を抱きこむんだって」

「でもさ」

友恵は眉間にしわをよせた。

「星占いとか、どうすんの？」

「星占い？」

「たしかに、九月三十日と十月二十日は両方ともてんびん座だけど、生まれた日と時間と出生地で占うときは、どうすればいいんだろう。わたしはいいよ、知ってるから。でもさ」

「どうだっていいと思うけど」

「ちょっと、それはわたし、抵抗があるわ」

断固とした口調でそう語る元妻を見ながら、和仁は二本目の煙草に火をつける。

「事務的なことはこわいくらいきちんとしてるのに、どうして占いとか信じるわけ？俺、そういう友ちゃんのとんちんかんなとこ、嫌いだった。思い出すよ。腹たったわ、いつも。だけど、あれだね、別れてから考えてみるとさ」

そう言って、和仁は言葉を切り、言おうかどうしようか考えるような顔をした。

「なに？」

「結婚する前は、そこもよかったんだよ」

元夫婦は、冷えたソーミンチャンプルーをつつきながら、ぬるい夜風にあたった。

話題は少しずつずれて、和仁のことに移っていったが、そこでこの元夫にも新たな女性がいることが判明した。それは二人の離婚の原因にもなったビデオジャーナリストではなく、七歳年下の芭蕉布《ばしようふ》の染織職人だということだった。

こういう状況で、わびしく独りでいたりしないところが、この別れた男のいいところだった。けれども、それは同時に、いっしょだったころ、どこかにいつも漂わせていた薄情さめいたものを、思い出させもした。そういうところも魅力だったのかもしれない。もしかしたら、結婚する前は。

友恵と和仁は、きっかり夜の八時半に夕食を終えた。

翌朝の飛行機で、友恵は那覇を発った。


健太郎の母が別れた夫との面会に及んでいるころ、健太郎の生物学上の父である、うるうるしんごは夏の大阪で、人生について思い悩んでいた。

「せやから、もう、ずーっと前にゆうたったやん。やめとけて。あかんて。だめやと。

むりすなと。それをおまえ、おまえがそうゆう、俺の忠告をなんにも聞かんでやなあ、追いかけて、おまえ、東京へ行ってまって、おまえ、ガキができたやなんて、はめられたようなもんやんか。こわいで。こわいで、三十女は。それも、おまえ、ただの三十女やないやんか。東京の三十女やで。東京の三十女ちゅうたら、おまえ、髪の毛がヘビでできとって、その目ェで見られたら、誰でも石になるっちゅう、メデューサみたいなもんや。メデューサの目ェに、ねらわれとったんや。あかん、あかん。二度と東京へ行ったら、あかん」

芸人仲間の熱川建夫《あたがわたてお》は、心斎橋《しんさいばし》〈ニューライト〉のセイロンライスを胃に流し込む合間に、うるうるしんごに説教をした。

熱川建夫はうるうるしんごこと漆畑慎吾より九歳年上の三十歳で、横尾幸久《よこおゆきひさ》という名前の芸人と二人で、「タテヲ・ヨコヲ」という名で活動していたが、芸歴はしんごとたいして違わなかった。悲しいことに、ヨコヲとの仲が絶望的に悪く、コンビは常に解散の危機に直面していて、もうヨコヲとはこれきりだ、と決意するたびにタテヲは、仲良しのしんごを口説くのだった。

ピン芸人はたいへんだ。自分とコンビを組もうではないかと。

しかし、うるうるしんごの「ピンでいきたい」という決意は固く、しかも「関東出身の自分と、関西弁のタテヲさんとが、組めるわけがない」というまっとうな理由で、タテヲの提案を拒否しつづけていた。「画期的やん」とタテヲは抵抗したが、らちがあかないので、なぜだか説得の内容が微妙にずれていき、いつのまにか説教が私生活のあれこれに及んでしまっていた。

「しんごは、おまえ、人がよすぎるんや。そんな、おまえ、一月におうたときは、それっきりや思うて、ひとりで産むつもりやったとか、おまえに再会したときは、もう処置するには遅すぎる時期やったとか、そんなん、うそにきまっとるやんか。ワナや。メデューサのワナや。おもしろすぎるわ、そんなん。どこやら、ネタみたいやで。少女マンガの読みすぎや。昼の連ドラも見すぎや。なんでもかんでもやりすぎや。こんな、まー、わっかいのを、よくまあ、毒牙《どくが》にかけてやなあ」

そんなタテヲの言葉を、聞いているのかいないのか、うるうるしんごは、たいせつにとっておいた生卵を一気に崩して、半分に減ったセイロンライスにまぜ、スプーンでせっせと掻きこんで、鼻の頭に汗を浮かべている。

大阪に来るたびに、腹の膨れる食べ物の安さをありがたく思う。セイロンライスはたったの四百五十円だった。

「あせった、あかん。芸人は三十過ぎてからが花や。勝負や。それまでは我慢の連続や。その我慢が大きく実るころにはモテモテや。げいにん、ちゅうただけでモテる時代に、おまえ、なにがかなしいて、東京の三十女につかまらなあかんのや」

「タテヲさん、モテてないし」

冷静に、しんごはつっこむ。

タテヲは黙って、コップの水を飲み干した。

しんごはそのまま、長堀鶴見緑地線《ながほりつるみりよくち》の駅を目指して歩き出した。

タテヲは、しばらくついてきて、食い下がった。

「考えてみ？　おまえが三十になったとき、その東京女は四十五や」

「四十四」

「四十四や。ゾロ目や。ありえへん、それは」

しんごは歩みを止めて、Tシャツをめくって腹を搔き、

「なんでそんなことまで考えンの？」

と、冷めた口調で言ってタテヲを一瞥し、またすたすた歩き出した。

虚をつかれて遅れをとったタテヲは、

「飲みいこや～」

と言って、追いかけてきたが、

「金ないし。十時からバイトだから。それまで俺、ちょっと、寝ます」

と、振り切るしんごの背に小さく舌打ちをして、タテヲはきらきらと明るい心斎橋の夜に消えていった。

地下鉄で谷六《たにろく》まで行って、アパートにたどり着くと、タテヲに宣言したとおり、狭い部屋の敷きっ放しの布団にごろりと横になって、しんごは天井を仰ぐ。仰いで、天井のまだらな染みをみているうちに眠くなる。本来、寝が足りないと調子が出ない性格なのに、夜のバイトはきつい。だから、その前に一時間ほど仮眠をとる。その日は疲れていたのか夢も見ないで眠り込んだ。

九時半に起きて、水で濡らした手で髪の毛を整え、部屋を出る。自転車に乗って、新《しん》町《まち》の〈カフェ・フーディーニ〉に急ぐ。

夜の十時から翌朝三時までが、しんごの勤務時間だった。月曜から木曜までは、ここで働き、金曜にはライブが入ることがあるから空けてある。

店の戸を開けると、まだそこには客がいなかった。平日の十時ごろはたいていそんなものだ。じゃ、しんご頼むわ、店、混んできたら起こしてや、というマスターと交代でカウンターの奥に立つ。手持ち無沙汰なしんごは、鉤針《かぎばり》編みをはじめた。

しんごは小さいころから手先が器用で、編み物が趣味だった。だから舞台でも、漫談をしながら指編みで長いヒモや丸、三角、四角のニットを即興で編み、ネタとして使用しているのだけれども、いかんせん短い時間で編めるものをネタと組ませるとなると、「首吊り自殺」とか「犬の散歩」とか「ヘビ」、「ハンカチ」といった、なにも編まなくてもいいだろう、と素人にもつっこまれるものしかできない。

唯一成功したのは、ローカルケーブルテレビ局の幼稚園訪問番組『パオパオ・キンダ』で、園児に指編みを教える企画だ。長いシマシマの「ヘビ」や、黒い輪っかを二つ編む「パンダの耳」などは、三〜六歳児限定なら、受けるのだった。

ややあって、戸につけたベルがからからと音をさせ、馴染み客の小春崎《こはるざき》ユリが入ってきた。小春崎ユリは芸人学校時代の同期で、いまは売れないお笑い系小劇団員だった。

「しんご、冷たいビール、頼むわ。朝からなんも食べてへん。マスターに内緒でなんか食べさせて」

そう言うと、ユリはカウンターに腰かけて、まともな姿勢をとるには腹が減りすぎていることをあらわそうと思ってか、大げさに腹を押さえたまま、ガンと音をたてて顔をテーブルの上に伏せてみせた。

しんごは鉤針と毛糸を脇へやって、ビールサーバーから小ジョッキに泡立つ液体を注ぎ、じゃこチャーハンを作りはじめた。

かつて一度だけ、友恵はこの店にやってきたことがある。そのとき、しんごはこうして友恵のためにも、じゃこチャーハンを作った。それは二人が初めて会った日で、芸能雑誌のコラムで若手芸人を取材していた友恵は、『パオパオ・キンダ』の収録に密着し、芸人仲間との研究会に参加し、最後に「アルバイト風景を写真に撮らせてほしいから」といって、店までついてきたのだった。

皿を洗っている姿を撮影すると、これで仕事は終わりだというので、じゃ、メシ食っていきなよと言って、しんごは鍋を振ったのだった。

そのときの友恵のうれしそうな顔や、取材ノートをびっしり埋めていた、しんごのライブへの好意的な感想を、思い出した。

もうひと月以上、連絡していなかった。電話をしかけては、その手が止まる。いまさらつまらない近況報告もできない気がして、メールも打ちかけては放っている。

この子はわたしの子どもだから、ひとりで産んで、わたしの籍に入れようと思うんだけど、しんごはどう思う？

「しんご、どう思う？」

「え？　なにが？」

しんごは、目の前の小春崎ユリを見る。

「つきおうてもいいよ、うち」

「どこへ？」

「どこへて、あんた、さっきからゆうてたやん。なに、ぼけてんねん」

「ごめん。聞いてなかった」

「しんご。――鈍いわ」

そう言うと、小春崎ユリはチャーハンを食べ始め、もう、しんごには話しかけなかった。そのかわりに、扉を押して客が入ってきたので、しんごはマスターを起こした。注文を聞いたり、オーダーされたドリンクを席に運んだりする間にも、ぼんやりとしんごの意識を支配しているのは、二人で会った最後の日のことだ。

なにもあんなに唐突に言うことはなかったじゃないかと、しんごは少しだけ友恵を責めてみる。責める気持ちを後悔がかき消し、悔やむ思いに言い訳がかぶさる。

「なんや、なんや、また辛気《しんき》臭い顔して。まだ悩んでんねんやろ」

また新たな客が入ってきたので顔を上げると、そこには熱川建夫が立っていた。しんごは露骨に眉をひそめた。

しんごはどう思う?

あのとき、もっと答えようはあった気がする。いまとなっては。

物思いにふけるしんごの思考を断ち切るように、タテヲの声が響いてきた。

「それやったらあれか。おまえ、ほんまは、その年上といっしょになろ、思てるの?そんなん、思てるの? よしたほうがええでえ。それは、あかん。それは、勧めれへん。それはおまえ、どうゆう気持ちで思てるの? そらな、経済的に安定するかもわからん、稼ぐ女房やったら。芸人は不安定やからな。揺らぐ気持ちもわかるよ。そのこと? しんごの心が揺れるのは、その部分?」

すでに酔いが回り果てたタテヲは、ふだんでもこれくらいしゃべれればもう少しネタ見せのときに受けがいいのにと思わせる饒舌《じょうぜつ》で、さらに続ける。

「おまえ、稼ぎのいい姉さん女房ちゅうのは、ええようで悪いで。最初はええのよ。最初はええの。せやけどな、だんだん、あかんようになんねん。精神的、経済的に、頼るやろ、そういう相手には。な。その生活から、抜けれへんようになんねん。これがまた、こわいで。その上、赤ん坊がいてるやろ。それやったら、おまえ、いつのまにか、おまえ、主夫になってまうで。主夫は、一度やったら、やめれへん。そんなん、いくらもおるわ。芸人くずれやったら。それを、俺は、心配すんねん。芸人から、ハングリー精神取ったら終わりやで」

その言葉にどこか哀愁漂う説得力があったのは、タテヲはすでになんだかいろいろなことをあきらめ気味で、ヨコヲとの営業にも熱心でなく、どこかにハングリー精神を落っことしてきたのではないかと思わせるふしがあったからだ。

いつでもこの調子だったので、しんごの耳はすでにタテヲの言葉をするりと聞き流す癖がついてしまった。

しんごは、淡々と仕事をこなしながら考え続けた。

しんごはどう思う？

あのときしんごは、わかんねえから、と言ったのだ。

俺、むずかしいこと、わかんねえから。

なぜあんなことを言ったのだろう。あれが二人の最後の会話だと思うと、舌を噛み切りたくなる。

友恵は神経の細いところを切りつけられたような顔で一瞬かたまり、それから、そう、と呟くように、言葉を返した。

そろそろ看板や、とマスターがしんごの耳元で言い、タテヲさん、タテヲさん、そろそろ帰って、としんごがタテヲの耳元に伝言した。

「せやけど、あれやな。好きやねんな」

「なに、言ってんのよ。ほらもう、帰ってよ」

「好きになってまったら、しかたないねんな。その気持ちを、止めよう思ても、止めれへんもんやしな。あかん、思ても、逆に、あかん。そうゆうもんやな」

タテヲは酔った挙句に自分の世界に浸ってしまい、いっこうに立ち上がろうとしないので、しんごは眉間にしわを寄せて、呆れました、の目線をマスターに送る。

「会えへんときは、つらいしな。おおたらおおたで、つまらんこと言ってまったりするやろ。しもたー。言わんでもよかったんやー、思ても、取り返しつかへんしな。あとでくよくよくよくよ、悩んだりすんねん。その、くよくよが、また、どっか、ええねん。仕事のくよくよと、ホンシツ的にコトナルねん。仕事のくよくよやったら、くよくよして終わりやねんけど、恋のくよくよは、なんやこう、すぐにこう、あやまりたくなんねん。ごめん、俺、いらんことゆうてしもた。頼む。気にせんで。そうゆう電話をかけるときのこう、なんやこう、怒られてるような、疎まれてるような、せやけど、ゆるしてもええよお、という氷が解ける瞬間ゆうのかしら。そうゆうことのために、ついつい、なんやこう、小学校で、好きな子をいじめてまうときのように、ついつい、余計なことをゆうてまうんやけど、やっぱり、あとで、くよくよすんねんなあ」

そう言うと、タテヲはカウンターにつっぷして寝始めた。

「ちょっと起きてよ、タテヲさん。俺やだよ、酔っ払ったタテヲさん、チャリに乗せて家帰るの。ちゃんと起きて、自分の足で帰ってよ。だいたい、タクシー代とか、持ってんの？　こんな時間までいてさあ。俺、知らないよ。置いてくよ」

まくしたてるしんごの声など聞こえないかのように、タテヲはすやすや寝息を立てる。

「しんご、もう帰れ、俺が送るわ。近所やし」

そう言うとマスターは、ふとなにか思いついたようにしんごの顔を見つめ、

「おまえ、まだ気づいてへんのか？」

と、言った。

「なにをですか？」

マスターは、カウンターでだらしなく寝ているタテヲを一瞥し、

「タテヲの気持ちにや」

と、真顔で言う。

「どんな気持ちですか？」

問い返すしんごを正面から見据えて、マスターはきっぱり言った。

「しんご。——鈍いで」


健太郎の父はその後二ヵ月経ってもタテヲの気持ちに気づかず時を過ごした。

けれど、とうとうたまらなくなって、おずおずと東京の友恵に電話をかけ、またメールを打ちはじめた。

それは、あたりさわりのないものから、しだいに恋人らしい浮ついた言葉に変化していったが、友恵からくる返事のほうはいつも抑制がきいていて、しんごを励ますような内容になっていた。それを読むと、しんごはほっとした気持ちと、ややさみしい気持ちで充たされた。

十月一日の夜、しんごは、「生まれました」というタイトルの、写真つきメールを受け取った。翌日、彼は電話をかけて、子どもの母親に「おめでとう」と言った。

健太郎が生まれるとすぐに、友恵は計画を実行し、さっそく例の法手続きを開始した。言葉通り、尾崎和仁は調停には現れなかったが、資料にくわえて誠意のある手紙までつけてきたので、調停員の覚えはよろしく、なるほど「スピーディーに」ことは運んだ。

それでも「親子関係不存在証明」には二ヵ月近くかかり、師走の声を聞くころになってようやく、健太郎は「緋田健太郎」の戸籍を取得したのだった。

来る日も来る日も修行僧のような面持ちで乳を飲み続けたために、健太郎はみごとな健康優良児に成長し、おかげで友恵は腱鞘炎《けんしょうえん》になっていた。

晴れて健太郎が「緋田」姓を名乗ることが許された日、あたかもそれを祝うように、大阪から宅配便が届いた。

「ハッピー・バースデー」の赤いリボンがかかった包みを解くと、鉤針で編まれた小さな帽子とマフラーが入っていた。

吾輩は猫ではない

緋田龍太郎は今朝も、食後の薬を飲み終えると庭に視線を投げた。

次女の友恵がどこかへ出かけ、妻の春子も玄関先を掃いているために、膝にはつい最近生まれたばかりの二人目の孫が載っかっている。乳呑み児《ちのご》の顔面に、うっかり抗血液凝固剤の粉末を散らすわけにはいかず、龍太郎は細心の注意を払ってワーファリンを胃に流し込み、習慣上、南向きの窓から外を見たのだが、庭先を長男の克郎が横切ると、おお慌てで目を逸らした。

小用に立つ克郎が、母屋玄関の扉を開ける。その音を聞くと、いきなり心拍数が上昇した。あの男が、よもやこのリビングに顔を出すことなどないだろうとわかっているのに、それでも書斎に逃げていきたい思いに駆られて立ち上がろうとし、膝にいる健太郎の重みに気づいて、しかたなく腰を落ち着ける。

この一年間で、龍太郎の身辺は激変した。こんなふうに、孫も増えて、緋田宅における収容人数は史上最高値を記録している。

しかし、それだけなら、流れに身をまかせて生きることだけを信条に七十二年の生涯を送ってきた龍太郎が混乱することもなかっただろうに、あの一件だけは、いまだに彼の中できちんと整理できていない。

あるいは、信じられない。夢の中のできごとのようである。まさか、という思いが強くて、現実を受け入れられない。本来、喜ぶべきことであろうと思うのに、感情がまったくついていかない。

それは、妻の春子も同じことだった。あのことがあってから、妻の言動はどうもおかしい。常軌を逸するというほどではないにしろ、とんちんかんであることは否めない。書斎の本棚に飾ってある入れ歯の型は、龍太郎が心の底からたいせつにしているコレクションなのに、先日、春子はそれを端から捨てようとして夫の逆鱗《げきりん》に触れた。そうかと思うと財布を忘れて買い物に出かけ、大急ぎで取りに戻ってまた出かけ、挙句に買い物そのものを忘れて帰ってきたりする。まるでタケばあさんの頭の具合が乗り移ったような症状だ。

それもこれも、あの事件のせいに違いない。

克郎が用事を済ませて外に出て行く気配を身に感じながら、龍太郎は寝入った孫をそっと抱き上げてリビングに置かれたベビー用マットレスに移し、首やら肩やらをゴリゴリ音をさせて回した。

ややあって、また玄関扉の開く音がし、にぎやかな話し声とともに妻とヘルパーの皆川カヤノが入ってきたので、龍太郎は長い睫毛の奥の目をきょろりと一回転させると、あたふた書斎へ引っ込んだ。

思えば息子とまともに顔を合わせたのは何年ぶりだろうかと、書斎に置いた、歯科治療に使ううがい用ボウルつきの椅子に体を預けながら、龍太郎は旧懐する。いつも座る安楽椅子ではなくて、白い合皮張りのこちらにスリッパを脱いで腰かけ、意味もなく天井を眺めている姿からさえ、龍太郎の動揺は伝わってこようというものだった。

それは二週間前の火曜日に、まさに火曜日であるからこそ緋田家を襲ったできごとであった。というのも、皆川カヤノは姑、吉野タケを火曜日と金曜日に訪問する介護ヘルパーだからである。

そろそろ昼飯の時間だと腹が知らせて書斎から出てきた龍太郎を、

「先生、ちょっとお話があります」

と、この若いお嬢さんは呼び止めた。

元歯科医の龍太郎を誰が先生と呼ぼうが、それじたいは驚くべきことでもなんでもなかったが、同じように声をかけられた春子と二人でリビングに突っ立っていると、庭の真ん中を直進して南向きの窓ガラスを開け、まるで当然の権利のように上がりこんできた克郎を見たときは、仰天して息が止まりかけた。

「あたし、来年の春から横浜のほうの老人ホームに転職が決まったので、二月から、タケさんは別の者が担当することになります。アパートも、東横線沿線で探そうと思っています。つきましては」

目を剝いている龍太郎と春子の前で、皆川カヤノはむさくるしい緋田家の長男の右手を左手でしっかり握った。

「つきましては、あたしたち、結婚することにしました」

緋田家のリビングを、想像を絶する妙な空気が流れた。

でくのぼうじみた立ち方をした長男は、それを打開する努力など微塵《みじん》もみせず、飼い主を見つめる駄犬のような一途な目つきで恋人の横顔を見つめ、左手を握り返した。

「結婚て、それは、あなたたち、どういうことですか」

ややあって、かろうじてそう口に出したのは、春子だった。

「転職すると、こちらにはもう来られなくなってしまうし、そうしたらもう会えなくなっちゃうし、どうせ引越すんだから、いっしょに住んじゃえってことになったんです」

つやつやした茶色の髪の、てっぺんの一束をピンク色のゴムで結んでいるこの明るい娘は、でくのぼうのほうを見て声には出さずに「ねー」という口と舌の動きをしてみせた。さすがに克郎のほうは「ねー」とは返さなかったが、それでもにこにこと、親には見せたこともない笑顔を顔に張りつかせて、恥ずかしげに顔を右側にかしげた。

「だけどあなたがた、いったい、いつから」

うろたえる春子をさえぎって、皆川カヤノは続ける。

「三月？　四月？　もう、けっこう長いよねー？」

こんどこそ、彼女は「ねー」と発音した。克郎はこんども「ねー」とは言わなかったが、やたらとうれしそうにうなずいている。

春子、春子、と呼ぶタケの声が隣室から聞こえて、呆然としていた妻はこの場を立ち去る理由を見つけて出て行ってしまった。

リビングには龍太郎と克郎と、皆川カヤノが残された。手を握り、見つめあう二人を前に、緋田龍太郎はなにを言ったらいいかもわからず、いっそのこと昏倒してしまうことはできないものかと考えていたが、いくら待っても意識じたいは冴《さ》え冴《ざ》えとしていたので、仕方がないから喉から声を絞り出した。

「結婚は、まだ、早い」

そう言うとカヤノと克郎は不思議そうに顔を見合わせ、女のほうが代表して、

「あたしは来年二十五になるし、克郎さんも三十過ぎてるし、あんまり早くはないと思いますけど」

と反論した。

たいへんもっともな意見であった。

「君のご両親は、なんておっしゃってるの」

そんな妙な男との結婚は許しませんと言っているに違いあるまい。そうであるならば、ここはひとつ、不名誉ではあるが、その親御さんの意見の尻馬、ではなかった、意見を尊重して、この場を乗り切ろう、と元歯科医は考えた。

なぜそんなにまでして、長男の結婚話をもみ消さねばならない気持ちになるのだか、龍太郎自身にも説明がつかなかった。しかし、なんでもいいからこの突拍子もない話を、とりあえず白紙に戻したいという思いだけが、龍太郎を突き動かす。

「あたしんち、両親いないんです。もともと父親がひとりで育ててくれたんですけど、三年前に亡くなりました。尾道《おのみち》でラーメン屋してるお兄ちゃんがいて、お兄ちゃんは、応援してくれてます。広島に叔母がいるんですけど、叔母にも近々話すつもりです」

龍太郎の抵抗は不発に終わった。

半ばあきらめぎみに、緋田家の当主は口に出してみる。

「しかし、君は、うちの克郎の、どこが気に入ったの」

すると未来の嫁は、いくらか夢見るような目つきになって、傍らの恋人を見やり、

「癒されるんです、とっても」

と、言った。

あのできごとがほんとうに起こったのかどうだったのか、いまひとつ龍太郎にはつか

めないでいる。

なんど考えても、現実感をともなわない。

しかし、やはりそれでも事実であるらしかった。

というのも、あれから二週間が経過したところのこの日、緋田家では克郎と皆川カヤノの婚約を祝う、家族の晩餐《ばんさん》が繰り広げられることになっていたからだ。

リビングでは皆川カヤノが、春子とその相談をしているはずだった。

家族の晩餐？　家族全員が集まる、晩餐会だと？

龍太郎はあいかわらず天井を見上げている。強いて言えば、天井を遮《さえぎ》る、椅子に付属した照明器具を見上げている。

この椅子に龍太郎は、かつて何人の患者を載せたことだろうか。

歯医者の椅子に座らされたものは、金縛りにあったようにそこを動くことなどできなくなる。歯科医の指示で体を起こし、恐怖のために唾液でいっぱいになった口を漱《すす》ぐくらいがせいぜいで、あとは阿呆のように大口を開けたまま、なすがままに、もういいですよと言われるまでの時間を、ただただ、なぜこんなことになってしまったのかと悔いやら疑問やら自責やらの感情を浮かべて過ごすことになるのだ。

まさしくいま緋田龍太郎は、まな板の上の鯉《こい》ならぬ、歯科の椅子の上の人だった。

彼にできることはなにもなかった。老人の尻込みや思惑を超えて、現実は波を作ってうねっていく。

家族の晩餐だって？

もう一度、その違和感ある語彙《ごい》を嚙みしめる。

それはつまり、こういうことだった。娘たちが出戻って一年が経とうというのに、緋田家ではただの一日として、家族全員で夕食をとったことがなかったのだ。そのことに思い至って、龍太郎は啞然《あぜん》とした。

もちろん、逸子一家といっしょに食事をすることがないではなかったし、それに友恵が加わることも何度かあったかもしれない。あるいは友恵と夕飯の卓を囲む日は増えたし、日曜の昼飯をさとるととることもある。タケの食事は、タケのペースで行われていたけれど、機嫌のいい姑と食卓で会話することもある。

しかし、全員集合は、ない。

克郎と食事をするなど、ここ十五年くらいやっていないことかもしれない。

人間、それがめでたいことであってもなくても、生活習慣上やりつけないことをするのは苦しいものである。

龍太郎は診察椅子の上で、両手をだらりと脇に垂らし、目をつむった。

夕餉の時間はいつもより遅くやってきた。食卓からは、龍太郎の好きなコロッケの匂いも漂ってきた。

春子がまた腕によりをかけて、祝いのご馳走を作ったに違いない。台所では娘の声もしていた。離れからかり出されて、逸子も弟のためになにやら自慢料理を作ったようだ。友恵も奥の方でワインの講釈かなにかを垂れていた。

総勢九人と赤ん坊の夕食には、緋田家のダイニングは狭すぎると判断されて、饗宴《きようえん》にはリビングが提供されることになるらしい。午前中よりもやや隅のほうへ寄せられたマットレスで、健太郎が仰向けになって手足をふらふら揺らしていた。タケはいち早くテーブルにつき、回転椅子に座って口を開けて寝ている。

タケの脇の肘掛け椅子にかけて推理小説を読んでいるのは、中学二年になる龍太郎の初孫さとるで、そういえばさとるの父親はどこへ行ったかとリビングを抜けて食卓から台所へ目をやると、事業に失敗して無一文になったはずのこの男は、隅で小さくなっているかと思えば堂々と厨房に入って料理に参加していた。ワインの講釈を垂れているのは、よく見たらこの娘婿で、友恵は天性の記者気質を発揮して次々と質問をし、義兄をいい気にさせているのだった。

なんという騒がしい夜だろうか。

人ごみの中をゆくときの軽い孤独めいた感覚にとらわれた龍太郎は、思わずまた書斎に引っ込んでしまいたい思いにかられる。しかし当主たるもの、家族の晩餐をすっぽかすわけにはいかなかった。

娘たちが次々と料理を運びこむのを、入口でぼんやり眺めていると、

「お父さん、シャンパンを開けるから早く席についてよ」

そう、長女の逸子の声がして、冷えて汗をかいた緑色の瓶と白い布巾《ふきん》を持った娘婿が、栓の抜ける威勢のいい音を響かせる。

そのまま宴会が始まっても、なんら違和感はない雰囲気だったが、それではこの会が催される意味はないわけで、快音とともに扉が開いて、いつもより念入りに化粧をした皆川カヤノが、熊のような克郎の手を引いてあらわれた。

二人に手際よくシャンパングラスが手渡されると、

「それじゃあ、やっぱり乾杯の音頭は、お父さんかしら」

と、逸子が言った。

突然自分にお鉢が回ってきた龍太郎は、どうにかこうにか、

「乾杯」

とだけ口に出し、

「かんぱーい」

と、口を揃える家族の、それこそ記念すべき第一回「乾杯唱和」に変に感慨すら覚えつつ、泡立つ祝杯を干したのだった。

女が五人もいれば、たとえその中の一人が九十過ぎの老婆だったとしても、会話が途絶えるなどということはない。

裏を返せば、女が五人いるときに男が口を挟む余地などないということで、もとより無口な克郎も、思春期という年齢から寡黙にならざるをえないさとるも、声を発することはなかった。娘婿は最初のグラスを空けるとすぐに厨房に引っ込んでしまった。なにやら、自慢の野菜料理を製作中だという。

龍太郎は、渡された皿にコロッケとローストハムと、にんにくの入った粗挽きソーセージを盛り合わせ、さとるの隣の肘掛け椅子にどっかりと腰を下ろした。

そこは本来、朝食の後に庭の小鳥を眺める特等席なのだが、その日は家族の団欒《だんらん》用に向きを変えられて、本日の主役たる息子の克郎と嫁になるべきカヤノを、存分に眺められる位置になっていた。

久しぶりに見る息子の、恋人に注ぐ崇《あが》めるような目の光は輝いていた。

「おめでとう、克郎。よくまあ、こんな素敵な人をねえ」

感慨深く友恵が会話の口火を切ったが、とりたてて仲もよくない姉に半分冷やかされるようなのは苦手なのだろう、克郎は不機嫌に下を向いている。

「カヤノさんは、克郎のどんなとこがよかったの？」

弟を打っても響かないと思ったか、記者精神を発揮した友恵は標的を替える。

「やっぱり、すごく癒されるところかな」

「癒されるかなあ、克郎に」

身も蓋もない長姉の逸子が口を挟むと、

「癒されますよ」

と、未来の嫁はきっぱり返事をした。

「タケおばあちゃんはいつもやさしいけど、あたしたちの仕事はやさしい人にばっかり当たるわけじゃありません。お世話しようとしても、『イヤ』って拒否されちゃうこともあるし、お世話の仕方が悪いって怒られれば、どんな状況でもあたしたちのほうが悪いことになるんです。ひとことでも『ありがとう』って言ってもらえれば、こんなあたしにありがとうって言ってくれる人もいるんだって、ふーっと幸せになるけど、いつも言われるわけじゃない。そんなの期待してちゃだめな仕事です。いまは訪問介護だけど、春から働くのはホームだから、もっとたいへんになります。泊まりもあるし、ターミナルケアに立ち会うから、精神的にも強くならなくちゃいけないし。かっつんが、克郎さんが家にいてくれると思うだけで、あたし、がんばれるような気がするんですよ」

嫁の言うことは、ひどくもっともに感じられた。

しかし、この、戦場に赴く若武者のような決意で仕事への抱負を語るお嬢さんを、のんべんだらりと家にいる我が息子が「支え」たり「癒し」たりするのだという具体的な事実が、ここへ来てもまだ龍太郎には呑みこめないのだった。

「わかるよぉ」

と、一児の母となった記者は言った。

「誰かがいてくれるって、いいもんだよねえ」

その視線の先に、生後二ヵ月の赤ん坊が眠っているのを確認して、龍太郎はまた複雑な思いにとらわれる。

「だけど、ほんとうに」

喉の奥から絞り出すような声を出したのは、春子だった。

「克郎でいいの？」

「いいんですってば」

何回も言ったじゃないですか、と言わんばかりの口調で、嫁は言い放った。この娘も、我が血縁の娘たちに劣らず勝気だと、龍太郎が気づいたのはこのときだった。

「克郎さん『で』いいんじゃなくて、克郎さん『が』いいんです。それに、克郎さんだって、いつまでも物置にいるわけにはいかないじゃないですか！」

家族の誰もが、横っ面を張られたように沈黙した。

まさに、この本質的なひと言、家族の誰ひとりとして口にすることができなかったひと言を、皆川カヤノははっきりと口に出し、赤ん坊と老婆以外のすべての者たちを震撼させた。

「はーるーこ、ちょっとここはどこだったかしら?」

沈黙を破って声を発したのは、九十二歳の老婆である。

「どこって、うちですよ」

「あらまあ、私はまた、どこかよそのおうちへ来たのかと思った。チャコチャンたちは、まだかしら」

「チャコチャンは来ないでしょう」

「チャコチャン来ないの? ずいぶんおおぜい集まったねえ。おじいさんも草葉の陰で喜んでいることでしょう」

「克郎、おじいちゃんも喜んでるんだって。よかったね」

「というか、おばあちゃんは、人がおおぜい集まると、おじいちゃんの法事と勘違いするの」

「法事じゃないわよ、おばあちゃん。克郎が結婚するの。おばあちゃんの孫が、結婚が決まったのよ」

「ほえ?」

「あ、できたの? こっちへ置いて」

唐突に逸子が話題をタケばあさんからそらし、リビングの入口を見たので、一堂に会した面々の視線は、腹にエプロン、手にミトンをつけて入ってきた柳井聡介に移動した。

「パパが作ったヴェジタブル・グラタンなんだって」

「わー、すごい、なんかお菓子みたいですねえ」

「うん、ほら、取り分けるのが面倒だから、ココット皿で一人前ずつ作ってみた」

「カヤノさん、紹介するわ、うちの夫です」

「聡介です。このたびは、おめでとうございます」

「お料理お好きなんですか？」

「ん、まあ、ね。趣味程度だよね」

「人数分のココット皿、買っちゃったわけ？」

「凝り性なの、うちの夫。野菜から作ってるから」

「野菜からですか？」

「野菜も作ったの？　お義兄《にい》さん？」

「野菜を食べて欲しくて作ったの。だからこれは、料理というほどのものじゃないよね。とれたての味を引き立てるには、なんにもしないほうがいいんだよ。全体をまとめるために、ベーコンと牛乳を使ってるけど、焼き野菜のうまさで食べて欲しい」

「どれをお義兄さん、作ったの？」

「ん、野菜？　ここに入ってるのだと、かぶとほうれん草とネギだね。カリフラワーとごぼうは、近くの農家でわけてもらったやつ」

「近くに農家があるんですか？」

「近くって、勤め先の近くだよ。ねえ、ママ、いい機会だから、今夜、話そうか？」

「だめ！」

逸子がいきなり声を張り上げたので、がやがやと食卓を囲んでいた一同の手と口が止まる。

「あれはまだ、もう少し、話し合ってから」

「でもママ、じゃあ、このあいだの結論は、あれはなんだったの？」

「そうだけど、なにも、こんなときに言わなくたっていいじゃない」

いきなり揉め始めた長女夫妻の、話のポイントがわからずに一同は当惑する。

「いいじゃない、言っちゃえば。いつか言うんだから」

隣で推理小説を読みながらソーセージを食べていた初孫のさとるが、本から目もそらさずにそう言ったので、さらに間の悪い沈黙がその場を支配した。

どうにかしなければならないと思った春子が、

「カヤノさん、紹介がまだだったわね、逸子のところの長男のさとるです」

と言い、さとるが本から目を上げてちょっと頭を下げ、

「カヤノです、よろしくう」

と、克郎の未来の妻が笑った。

「なに、逸ちゃん。聞いちゃだめなことなの？」

後にまた沈黙が続いたので、次女の友恵が話を蒸し返す。

「だって、今日は克郎のお祝いの席なんだから」

「友恵も、いいじゃないの。今日無理やり、聞かなくたって。話したくないこともあるでしょう」

「いや、そんなに話したくないことかなあ。ママ、これじゃなんだか、みんなが悪い話みたいに思っちゃうよ」

「ああもうっ。そんなに言いたきゃ、言ったらいいわよ。パパはそうやって、いつだって自分のやりたいようにやっちゃうんだからっ」

逸子はこみあげる怒りに抗《あらが》うように長い髪を掻《か》き毟《むし》り始めた。

「やだ、逸ちゃん、落ち着いて、落ち着いて」

「いいわよ、もう。早く言えばいいでしょ。ほら、さっさと。言いたいんだから、言ったらいいのよっ」

「そんな、おおげさにすることじゃないよ、ママ。今日は克郎くんのお祝いの席なんだから」

「なによ、いまさら。パパが自分の話始めたんじゃないの。ほら、早く言いなさいよっ」

「言ったら？　パパ。ママがこうなったら、もうおしまいだよ」

孫はもう一度、静かに父親を促した。

「そんなにおおごとじゃないんですよ。僕は春から、千葉のほうの葡萄農園を手伝いに行っているんです。今日の野菜は、農場主の家庭菜園を借りて作らせてもらったものです。その農場主が高齢なので、農園をやってみないかと言われましてね」

「葡萄農園？」

「お義兄さんが？」

「ほら、びっくりしちゃったじゃないの。みんなびっくりしちゃったじゃないのよっ」

「もちろんかなり悩みました。あまりにいままでと違う人生ですから。それに僕は、ママ、ごめんね、言っちゃうよ。自己破産してるので、財産もないし借金もできない。いろんな制約があるわけで、農園を居抜きで使わせると言われても、はいそれではと返事をするわけにはいかない。悩んだ末に、とにかく丸一年間、その農園に農作業の実務プラス経営コンサルタントとして雇われることにしたんです」

「経営、コンサルタント？」

「コストの削減だとか、新事業の提案だとか、農園でもいろいろやることはあってね。

ただまあ、平たく言えば小作農だから、経済的にはそんなに、あれなんだけど、そこで少し考えてみたいんです。ほんとにやれるものなのか。というか、僕はやりたいし、将来は家族も呼びたいと」

「え？　ひとりで行くの？」

「ええ、だからそれは、さとるが」

「だって、俺は小宮山といっしょに都立高校に行くことにしたからさ、千葉とか埼玉とか、そういうところに行く気はないんだよ」

「あら、さとるちゃん、都立に絞ったの？」

「うちの経済状態が、都立以外、行ける状況じゃないくらい、わかるよ、俺だって。それから、ちゃん、やめてよ」

「私もびっくりしたけど、この人、こういう人だから。だからね、お父さん」

逸子が名指しで話し始めたので、しきりにコロッケをぱくつくことで心の動揺を抑えようとしていた龍太郎は、喉にじゃがいもを詰まらせる。

「来年から、パパはひとりで農園に家を借りるの。私は週末やなにか、農繁期には手伝いに行く。でも、さとるが中学を出るまでは、母親として手を放せないでしょう。だから、まだしばらく、私とさとるはご厄介になるつもり。ただ、将来的には、私はこの人の女房だから、この人が千葉に骨を埋めると決めたら、行くしかないわ」

「それでいいの? 逸ちゃん」

「すっごくうれしいというんじゃないけど、イヤじゃないわよ。秋から何回か、農園に行って作業もしてみたの。パパが、すごく楽しそうなのよね」

「だから、おじいちゃんにあのことを頼んでよ、ママ」

「いま、言おうとしてたのに。あのね、お父さん」

どんどんと胸を叩いている龍太郎に、逸子は畳み掛けた。

「私がパパの決断を呑んだ条件はね、さとるをこの家に置いていくことなの」

「さとるを?」

「パパは勝負師だから、いつでも自分の人生に家族を引っ張りまわす。私は選んで結婚したからついていくけど、もし、パパの決断がさとるの将来の選択肢を奪うようなら、私は離婚すると言ったの」

「な?」

家族の会話にまったく参加していないかのように見えた克郎がむせはじめたので、隣の皆川カヤノも、目を丸くしつつ未来の夫の背を撫でる。

「さとるは都立高校に行くって決めたみたいなの。こっちに来て、いいお友達もできたんでしょう。だから、この家から高校に通わせてやって。高校生になれば、母親がひっついてる必要もないと思うし」

とにかくなにか反応を示さねばならぬと観念した龍太郎は、重々しく見えることを願いつつ、ゆっくりと二度ほどうなずいた。

「いい、ご家庭と、思います」

言ったものかどうしたものか、定かには決めかねるような口調で、来春には家族の一員となる予定の皆川カヤノが口を開いた。

「なんか、みなさん、仲良しっていうか」

仲良しだろうか、これは仲良しだろうか、仲良しとはこういうことなんだろうか、と、巡らせる龍太郎の思考を遮って、妻の春子が妙なことを言い出す。

「そうなのよ。あのねえ、言っちゃおうかしら。お父さんが私にプロポーズしたとき、なんて言ったか知ってる？」

「知るわけないじゃないの。お母さん、言ったことないでしょ」

「そうなの。だから、克郎とカヤノさんの婚約記念に、お母さん、言っちゃおうかしら」

「あ、なんですか、お義母さん。ぜひ、聞かせてください」

聞きたくないとは言えない義理の息子が声を発すると、やはり義理が生じることになっている皆川カヤノも、

「聞きたいですう」

と持ち上げた。

「あのね。『いっしょに、ファミーリア・フェリーチェを作ろうではありませんか』」

「なんですって?」

「いやだ、お母さん、恥ずかしいからもう言わない」

「なんで恥ずかしいんだ」

それがこの日、龍太郎が自ら発した第一声だった。

「なに? どういうこと? ファミーリアは、なに?」

「ファミーリアはファミリー、フェリーチェは幸福だ。幸せな、明るい家庭を築こうではないかと、そう言ったんだ。なにが恥ずかしいんだ」

「でもなんか、ちょっと恥ずかしいね」

と、友恵が言い、

「いやだ、お父さんたら、なんか恥ずかしい」

と、逸子が言い、

「だから、お母さん、恥ずかしいって言ったじゃないの」

と、春子が照れた。

「はーるーこ、いま、ここは、どこだったかしら?」

話題にすべきことは断然、我々の存在が彼岸にあるか此岸にあるかである、と言わんばかりの態度で、姑のタケが再度口を挟む。

「どこでもないの。ここは、おうち。みんなおうちにいるの。克郎とカヤノさんのお祝いなの」

「ほう。そうだったかねえ」

そこでまた家族の会話を遮るように、電子音がけたたましく鳴り、友恵が慌てて携帯電話を取り上げ、

「あ、しんごだ。ちょっとごめんね」

と、腰を上げる。

「え？　しんごって」

「友ちゃん、まだ彼から連絡あるの？」

友恵は廊下へ出ると、後でかけ直すからとかなんとか言って電話を切り、リビングへ戻って、姉に向かって、

「うん、あるよ」

と答えた。

そして、目を開けて泣き始めた健太郎を抱き上げて揺らしながら、

「それじゃあ、聡介さんと逸ちゃんもこの家を出るわけだ。克郎もねえ。それじゃなんだか言いにくくなってきたけど、私も落ち着いたら近くに部屋を借りるつもりなのよ」

と、言った。

「あら、そんなこと聞いてませんでしたよ」

「考えたんだけど、お母さんもおばあちゃんの世話でたいへんでしょ。もちろん、健太郎のことではお世話になるつもりでいるんだけど、四六時中お母さんに見ててもらうわけにいかないじゃない」

「ちょっと待って。友恵さん。私じゃなくても、四六時中赤ん坊の世話を誰かに任せるなんてことはできませんよ」

「やだなあ、お母さん。言葉のあやよ、それは。だけど、ひとりで育てるとなると仕事の態勢をもう少し整えないと、と思って。ここじゃちょっと、打ち合わせにも不便でしょ。中井草の駅に近いほうに、ワンルーム借りるつもり。うちからも十五分くらいだから。そっちのほうが新生児保育にも近いの。来月から健太郎も、慣らし保育始まるし」

「それじゃ、私たちが千葉へ行ったら、友ちゃん、離れに住めば?」

「でも、おばあちゃんが離れに戻りたいんじゃないの?」

むらむらと、わけのわからない感情が龍太郎の腹の底からこみあげてきた。

なんだろう、さっきからこの娘たちは。自分たちの都合で、いったん出て行ったはずの敷居を悠々とまたいで、出たり入ったり、それが当然の権利のように、自由自在に部屋割りまで決めようとして、当主の龍太郎に対する配慮にも尊敬にもいちじるしく欠けるところがありはしまいか。

なにゆえ、このような自分勝手な娘たちが育ったのか。そしてまた、なぜことここに至って、主役でありながらはなはだ存在感を欠いた長男ができあがったのか。おめでとうと言われたら、ありがとうと答えるくらい、すべきではないのか。

ふつふつとたぎる怒りをどう処理したものやらと思案していると、これもまた意表を突いて、娘婿の聡介が堰《せき》を切ったように語り始めた。

「ちっとも恥ずかしくなんかないと思うな。恥ずかしくないよ、ぜんぜん。僕はこれまで、お義父さんとはあまり接点がなかった。正直、若干、卑屈になっていたところもあってね。だけど、僕はこの一年間、緋田家にお世話になって、そしていま、お義母さんの話を聞いて、わかったことがある。お義父さんが、明るい、幸福な家庭を作ろうとして、そして作ったのが、この家なんだ。飄々と、いつもほがらかで、苛々した顔なんか家族にぜったい見せない。そんなお義父さんが、意識的に、努力して、築き上げたのがこの家なんだ。僕たちはそれを、空気のように自然に享受しているけれども、やっぱり、それは、お義父さんのすごいところだと思う。作ろうとして、そして実際にそれを作った。誰にでもできることじゃ、ないんだ」

娘婿は腹に巻いていたエプロンを取り、はらりとこぼれ落ちた涙を乱暴に拭った。

そしてもう一度、ひとなつこい笑顔を見せて、

「メインの煮込み料理を持ってきましょう」

と言って、厨房へ立った。逸子は少し遅れて、後を追った。

家族にしんとした時間が流れ、それは九十二歳の老婆にもなにごとかを気づかせて、タケは傍らの春子の肩にこっそりと手をかけ、

「はーるーこ……?」

と、呟いた。


そしてこれらはすべて、半年も前のことになる。

年が明けると克郎と皆川カヤノは簡素な式を挙げた。カヤノの兄のラーメン屋が尾道からやってきて、緋田家ならびに柳井家の面々と、ホテルの写真館で家族写真を撮影した。写真にはかろうじて、タケも健太郎も収まっている。

新郎新婦の衣装は借り物で、カヤノは角隠しに打掛けをまとった。克郎の紋付の紋は、緋田家のものではなかったが、ジャージ姿以外の克郎を見られたことに満足して、誰も文句は言わなかった。春子は留袖《とめそで》、龍太郎はモーニングだった。

一月の末に、東横線沿線の新居に引越していった新婚夫婦は、その翌月に祖母の葬儀で呼び戻されることになった。

急に体調を崩したタケが、二月の半ばに緊急入院し、そのまま家に戻らなかったからだ。九十三歳の誕生日を二日後に控えての大往生だった。春子はそれからしばらく、放心状態になった。

またその翌月になると、そろそろ葡萄栽培が始まるからと、柳井聡介が荷物をまとめて千葉に旅立った。

しかし、出て行くと言っていた次女の友恵は、結局緋田家にとどまることになった。ひとりになった逸子が、部屋の交換を申し出たのだ。

逸子は友恵が寝起きしていた母屋の二階に移った。そのかわり、緋田龍太郎、春子夫妻はベッドルームを一階の南側、リビングの隣に戻した。

空き部屋になった庭の物置に、柳井さとるはときどき友人の小宮山敦と二人でこもって、なにやら密談をしている。二階の部屋に呼べばいいのに、物置のほうが楽しいらしい。ただこれも夏が本格的になれば苦しくなるだろうと誰もが思っている。克郎がルーム・エアコンを取り外して新居へ持って行ってしまったからだ。

離れの親子のところには、ひと月にいっぺんくらいの割合で、妙な客がやってくる。頭を黄色と緑に染め分けた若い男で、これが健太郎の本当の父親だと龍太郎が知ったのは、つい最近のことだ。

あの男はいつか友恵と結婚するのだろうか、というのが目下の春子の最大の悩みである。老母を看取ってぽっかりと空いた心の穴を、埋める心配の種はまだまだ尽きそうにない。

龍太郎は久しぶりに、囲碁友達の川島先生を招いて、南向きのリビングで三局ほど交えた。娘たちはそれぞれ仕事に出、さとるは学校、健太郎も保育所に預けられている午後のことだった。


枝豆と冷えたビールを盆に盛ってあらわれた春子が、

「今日は、どちらがカラスですの?」

と聞くと、龍太郎は威張った口調で、

「ボクはいつだってサギですよ。川島先生がカラスで、二目置かせてやってるんだ」

と言った。


二目置かせてやっているくせに、龍太郎は三戦三敗し、雪辱《せつじょく》を誓って、杯を上げる。

「静かになりましたね、緋田家も」

枝豆をぽいぽいと口に放り込んで、川島先生が目を細める。

「どうですか。まあ、母がいなくなりましたし、さみしいといえばちょっとさみしいわねえ」

と、春子がこたえた。

「しかし、克郎なんてのは、もともといないようなもんだったんだし、変わらんといえば変わらんね」

　龍太郎が強がるような口調で言うと、

「そうかしら」

　春子は少し憤慨した。

「でも、よかったじゃないですか。克郎くんが結婚して」

「うん、しかし、これが父親としては複雑なんだ。すべては嫁の胸三寸といったところでねえ、もし、嫁がもういやだと思ったら、叩き返されるしかないような気がするんだ」

「克郎くんが？」

「もらっていただいたようなもんだからね」

「そうですか」

「そうだよ。言いたくはないが、我が家はめちゃくちゃですよ。健太郎はててなし子だし」

「ててはいるのよ。いるけどいっしょにいないだけ」

「いちばん不安なのは逸子のところだね。だって、あなた、一部上場会社の証券マンだった男が、いまや、小作農ですよ。だからあれだよ、聡介くんも、ボクの助言を聞いて、会社をやめなければよかったんだ」

「なにを言ってるのよ、お父さん。聡介さんがもといた会社は、あの人がやめてから二年もしないうちに潰れたんじゃないの。忘れちゃったの？　しかたがないのよ。いまの若い人たちは、私たちのころとは違う世界を生きているの。そういう中で生きていかなきゃならない人たちには、それなりの生き方があるのよ」

「どうです、川島さん。うちの奥さんも言うでしょう？　逆境は主婦を強くするね。なんだか、この人は、ボクが倒れてからこっち、ばかに威勢よくなっちゃって。間違いなく、後家になったらいきいきするタイプですよ」

後家、という言葉を聞くなり、春子と川島先生は同時にびっくりして、顔を見合わせた。

「なにを言うんですか、龍太郎先生。先生は長生きして、ファミーリア・フェリーチェを末永く実現しなければならないんだし」

赤面してそんなことを言い出す川島先生に、春子が突拍子もない声を出して、

「あら、川島先生はどうしてそんなイタリア語をご存知なのかしら。きっと新聞にでも書いてあったのね。なんだかそんなような気がいたします」

と喚きたてた。

しばらく妙な顔つきをしていた川島先生は、急になにかひらめいたように、

「ああ、どうしてって、それは、あれですよ。私たちの世代はみんな軍国少年で英語を

禁じられて育ちましたからね。大人になると外国語に妙な憧れがあって、なんです、そういう、あれを、使いたくなるんでしょうか」

と、ひどく真面目になった。

それからまた川島先生はいつもの柔和な表情に戻って、

「私は、龍太郎先生のお宅の文学的テーマはカフカの『変身』だと常々思っていたんですが」

と、妙な切り出し方をする。

「カフカ?」

「ええ。家族の大問題は、部屋にひきこもった長男、という。けれども、あれですね、やはり、緋田家の文学的テーマは、ジェーン・オースティンでしょう」

「そんなに各家庭に、文学的テーマがなきゃならんとも思いませんがね」

「『高慢と偏見』みたいにね。ベネット氏とベネット夫人は、子どもたちの結婚に気を揉むわけです。どうです、ひとつ、龍太郎先生も、小説でもお書きになっては」

「ボクが?　ボクはただの歯医者です」

「いいじゃないですか。いま、文学新人賞の応募年齢は、十代と七十代で、ちょうどM字を描くらしいですよ。この一年半の波瀾万丈をテーマにね」

「ふん」

ばかばかしい、という顔を、わざと龍太郎はしてみせた。

「問題はですね。エンディングを克郎くんの結婚にするか、お母様の死にするかです。バイロンによれば、悲劇は死で、喜劇は結婚で終わることになっていますから、どうでしょう、やはり緋田家の家風を考えますと、克郎くんのウェディングが最後だろうなあ」

元大学教授が勝手に妄想を膨らませると、

「我が家のすったもんだがお笑い喜劇というのは、なんだか納得できませんわ」

横から春子が口を挟んだ。

「いやいや、喜劇はお笑いでくだらないもの、悲劇は深刻で重々しいもの、と考えるのがそもそも間違っていますよ、奥さん。物語が結婚で終わったからといって、その先がめでたしめでたしであると信じている人は今日、どこの世界に行ってもいないでしょう。人の死は悼《いた》むべきものですが、個人にとっては安らぎをもたらすこともあります。結局のところ、人生を喜劇と見るか悲劇と見るかは、エンディングをどう語るかの差でしかないということです」

煙《けむ》に巻くような言葉を残して、川島先生は帰っていき、あの男も口から生まれたようだね、と揶揄《やゆ》して龍太郎は友人を見送った。

しかし、イタリア語やフランス語をもっともらしくつぶやいてみるのが大好きな龍太郎は、自らの「文学性」に密かに恃《たの》むところがあったので、囲碁友達の軽口によって自尊心が心地よくくすぐられ、そうだ自分は本来歯医者ではなくてむしろ文士になるべきであったのかもしれない、などという勘違いに襲われた。

そこでこの日以来、書斎にひきこもり、原稿用紙に向かって、書いては消し、書いては消し、紙を丸めてぽいぽい捨てるような、あからさまな真似までしてみて、次のような文章をひねり出したのだった。


「これは私の家族の物語だが、あえて私が彼らのうちの誰であるかは秘そうと思う。そんなことは読者にとってどうでもいいことだし、隠すことがかえって謎解きの愉しみをつけ加える可能性もある。

文章の雰囲気からして、私を女だと思う人もいるかもしれないけれど、〈女のふりをしている男〉と深読みすることもできる。わが国の文学における『土佐日記』以来の伝統的技法だ。または〈女のふりをしている男のふりをしている女〉とか。

家族のうちの一人が、そんなに他の構成メンバーのことを知っているわけがないじゃないかと思う人もあるだろう。ところが知っているのだ。

知ろうと思えばたかだか猫だって、飼い主の持病も癖もその友人たちの恋愛沙汰もみんな知ることができる。すでに百年以上も前に証明済みだ。

ヒントを出そう。少なくとも、私は猫ではない。」


ここまで書いて龍太郎は、それを何度も読み直し、ひたすら悦に入った。

そして、さあ、プロローグを終えて本編を書き出そう、と思ったところで壁が生じた。知らないのである。

なんとなくは、知っているが、定かには知らないのである。

長女一家になにが起こったか。次女とあの妙な髪の色の男の間になにがあるのか。だいいち、息子はどうやって、あのお嬢さんに接近したのか。

すべては謎に包まれていて、ゆえに龍太郎に書けることなどなにもないのだった。

「なんだ、それじゃあ、猫以下じゃないか！」

ぶすっとそう呟くと龍太郎は、書き上げたそのプロローグをぐしゃぐしゃに丸め、ゴミ箱に放り込んだ。

やはり自分は、文士ではなく歯医者であると、彼は思い直した。

このごろではコンピュータ・グラフィックを使って名画の中の人物から精確に歯型を導き出すことができるとかいう記事が、どこかの雑誌に載っていた。

ナポレオンの入れ歯とか作ってみたいな。クレオパトラとか。

そう考えて、緋田龍太郎は欠伸をした。

まだ陽は高く、家人はすべて出かけていて、午睡にはちょうどいい時刻だった。
庭先を一匹の猫が、我が物顔で横切っていった。

解説

北上次郎

家族はどんどんばらばらになっていく、というのが現代日本の通例である。それは住居環境の問題が大きい。大家族が一緒に住むのは、よほど恵まれた環境にいる人以外、今や困難なのである。となると現代の家族小説も、そうした現実を反映していく。すなわち、核家族小説が増え、大家族小説は少なくなっていく。そういう傾向になるのも当然といっていい。

もちろん例外もある。その筆頭が、小路幸也「東京バンドワゴン」シリーズだろう。四世代八人（途中から増えていくけど）という大家族が一緒に住むこのシリーズが懐かしさを伝えてくるのは、昔はこうやってみんなで暮らしていたんだよなあという私たちの過去の記憶が蘇ってくるからだ。ようするに、私たちが失ってしまったものがそこにあるのだ。あの大家族小説がヒットしたのは、そういうふうに読者の記憶を鮮やかに映したからではなかったか。

彼らが一緒に住んでいるのは、彼らの住居が下町にあり、その住まいが結構広いからでもある。つまり、住居環境に恵まれているのだ。その理由が絶対に大きい、ということはひそかに指摘しておくが、それはともかく、この大家族小説シリーズは核家族小説と表裏になっているという構造をここでは確認しておきたい。

という文脈を一方に置けば、本書の特異性も見えてくる。『平成大家族』という題名通り、これもまた大家族小説だ。しかし「東京バンドワゴン」シリーズのように、こちらはあまり明るくない。希望に満ちた大家族小説ではけっしてない。

そりゃそうだろう。緋田家の当主龍太郎は七十二歳で、大学の後輩と共同で経営していた歯科クリニックを二年前に「勝手に定年退職」して、現在は悠々自適の隠居生活だが、三十歳の長男克郎がずっと家にひきこもっているので、すっきりしないのである。そのひきこもり歴は中学生以来なので、もう十五年以上にもなる。

そこに長女の逸子一家がやってくる。逸子の夫柳井聡介が事業に失敗して自己破産したのだ。ひきこもりの長男だけなら、見ないふりも出来たけれど、そこに長女の一家（中学生のさとるを入れて三人）も同居となると、そうもいかなくなる。

さらに次女の友恵まで戻ってくるから大変だ。友恵は結婚して大阪に住んでいたのだが、離婚したというのだ。しかもただいま妊娠中で、元夫はそのことを知らないというから、龍太郎には何が何やらさっぱりわからない。

もともと緋田家は敷地内に二軒の家が建てられている。龍太郎の妻春子の実家だった敷地に、もとの家を取り壊して、二世帯が住むことが出来るように二軒建てたのである。そのうちの一軒には、岳父が他界してからは姑にあたるタケが住んでいる。

つまり通常の家よりは住居環境に恵まれている。だから長女も次女も実家に帰ってきたのだ。極端に狭い家だったら彼女たちも戻ってこないだろう。もっとも、恵まれているとはいっても、それは比較の問題であり、特別広々としているわけではない。タケの住んでいる一軒は台所と風呂とトイレはあるものの、１ＤＫにすぎない。長女の逸子が大学生、次女の友恵が高校生、長男の克郎がまだ小学生のころに建てた緋田家のほうも、二階にはそれぞれの子ども部屋があるだけ。一階はリビング、ダイニングキッチン以外には緋田夫婦の寝室と龍太郎の書斎のみ。姑と長男と夫妻の四人だけならよかったろうが、長女一家と次女の四人（やがて五人）が増えるとなると、つまりは倍の人数になるわけだから、けっして広くない。

となると次々に問題が生じるのも当然だ。中高一貫の私立校から公立中に転校になった逸子の息子さとるはある日ぶちきれて物置に籠もってしまうし、長女一家が１ＤＫの家に入り、九十歳すぎの姑が龍太郎夫婦の寝室に入り、そのために龍太郎たちは二階に住むことになるのだが、こうなると部屋にひきこもっている克郎はすぐ近くに両親がきたので息苦しく、たまりかねてさとると住まいを交換。こうして一触即発の危機は回避されるのだが、いつまた爆発するやら緋田家には暗雲がたちこめるのである。

このように、緋田家はあの「東京バンドワゴン」シリーズの堀田家のように、家族全員で楽しく食卓を囲むような賑やかな家ではない。中島京子がうまいのは、この混乱する家族の様子を多角的に描いていくことだ。最初と最後の章は、龍太郎七十二歳が語り手となるが、次女友恵、逸子の息子さとる、長女逸子、祖母タケ、長男克郎、皆川カヤノ（タケの介護士）、柳井聡介（逸子の夫）、龍太郎の妻春子、しんご（友恵の子健太郎の父親）と、語り手をつぎつぎに変え、それぞれの人間にはそれぞれの事情とドラマがあることを鮮やかに描いていく。

たとえばさとるが語り手となる章では、「できるだけ、目立たないようにする／発言するときは、ちょっとした笑いをとる／誰にでも、愛想よく／身だしなみは清潔に／答えがわかったからといって、手を挙げない／いじめには加担しないが、いじめられっ子とは距離を置く／近づきすぎる相手とは、距離を置く」と公立中学に通うマニュアルを作って実践する話が語られる。緋田家の中ではほとんど存在感のないさとるだが、彼にだって生活はあり、意見はあるのだ。友恵がどうやって夫と不仲になったのか、パン屋でアルバイトすることになった逸子がいま考えていること、農作業補助のバイトに応募したその夫聡介の日々、そして克郎のひそやかな恋（！）にいたるまで、それぞれの事情とさまざまなドラマが描かれていく。群を抜く人物造形と秀逸な挿話を積み重ねていくので、それらのドラマを読むだけでも十分に面白い。

しかしいちばん興味深いのは、ラストだ。一昔前の大家族なら家長がいちばん偉く、彼が何でも知っていたものだ。情報はすべて一か所に集められ、その情報を整理して的確な判断を下すのが家長だった。つまり情報を持っている者がいちばんなのだ。ところが龍太郎は……これ以上書くとネタばれになるので控えよう。何が書かれているかを知るのも読書の醍醐味の一つだろうから、ここではこれこそが現代の家族小説だと書くにとどめておく。中島京子は、昭和初期から戦中戦後まで女中として働いたタキさんの回顧録『小さいおうち』で第一四三回の直木賞を受賞したように、そのうまさには定評があるが、本書も例外ではないのだ。

そうだ、緋田家全員が集まって食卓を囲む場面が一回しかないことにも留意したい。「東京バンドワゴン」シリーズには家族全員で食事するシーンが頻出することを考えればいい。それが正しい大家族というものだ。ところが、緋田家は毎日一緒に暮らしているというのに全員で食卓を囲むのがこの一回しかないのである。このように緋田家の問題をさりげなく描く筆致も素晴らしい。

現代に生きる私たちが広い家に住むことはよほどの特権階級でないかぎりあり得ない。だから、家族全員で暮らすのも子供が幼いときだけだろう。成長した子供たちは順繰りに家を出ていき、年老いた夫婦が残される。それが私たちの現実だ。もしも、そういう私たちでも、家族がみんな一緒に住むことがあり得るならば、それはこの緋田家のように、家族に問題があって実家に戻ってきたケースだ。つまりこれは、私たちの悩み多き現実の写し絵なのである。その現実の日々を、私たちの未来に待ち構えている日々を、中島京子は実に鮮やかに描きだしている。うまいよなあホント。

初出「青春と読書」
トロッポ・タルディィ　2006年5月号
酢こんぶプラン　7月号
公立中サバイバル　9月号
アンファン・テリブル　11月号
時をかける老婆　2007年1月号
ネガティブ・インディケータ　3月号
冬眠明け　5月号
葡萄を狩りに　7月号
カラスとサギ　8月号
不存在の証明　9月号
吾輩は猫ではない　10月号

JASRAC　出1010855―008

参考文献
『農で起業する！　脱サラ農業のススメ』
杉山経昌・著　（築地書館）

この作品は二〇〇八年二月、集英社より刊行されました。

中島京子の本

ココ・マッカリーナの机

要するに私は、人生変えたかったのだ——会社を辞め、アメリカの田舎町の小学校へ。注目を集める著者の、作家以前の見習い先生体験記。爆笑、元気が出る痛快エッセイ。

ツアー1989

15年前の香港ツアーで日本に戻れなかった大学生がいた。彼に関わった人間たちの記憶は、肝心なところが欠落している。一体彼に何があったのか。不思議なツアーをめぐる物語。

集英社文庫

中島京子の本

桐畑家の縁談

27歳独身、無職で妹宅に居候中の露子。急な妹の結婚話で独り立ちを迫られるが、職探しは難航。彼氏との関係も煮えきらず……。ユーモラスでちょっとビターな結婚小説。

さようなら、コタツ

15年ぶり、しかも誕生日に恋人未満の男を部屋に呼ぶことになった36歳の由紀子。有休とって準備万端、と思いきや……。『桐畑家の縁談』のその後の話も含む、7つの部屋の物語。

集英社文庫

集英社文庫

平成大家族《へいせいだいかぞく》

2010年9月25日　第1刷　　定価はカバーに表示してあります。
2020年8月25日　第8刷

著　者　中島京子《なかじまきょうこ》
発行者　徳永　真
発行所　株式会社 集英社
東京都千代田区一ツ橋2-5-10　〒101-8050
電話　【編集部】03-3230-6095
【読者係】03-3230-6080
【販売部】03-3230-6393(書店専用)
印　刷　大日本印刷株式会社
製　本　大日本印刷株式会社

フォーマットデザイン　アリヤマデザインストア　　マークデザイン　居山浩二

ISBN978-4-08-746618-8 C0193